9.95

J'AIME LES
VIOLETTES
AFRICAINES

Couverture
- Conception graphique:
  ANNE BÉRUBÉ
- Photos:
  BERNARD PETIT
- Illustration:
  ANIK LAFRENIÈRE
  Les violettes africaines ont été gracieusement prêtées
  par la boutique horticole Côté Jardin inc.,
  5283 av. du Parc, Montréal.

Maquette intérieure
- Conception graphique:
  LAURENT TRUDEL
- Photocomposition:
  COMPOTECH INC.
- Illustrations:
  ANIK LAFRENIÈRE

- Photos:
  FRANÇOIS LABERGE
  Les photos ont été prises au
  Jardin botanique de Montréal.

Équipe de révision
Anne Benoit, Jean Bernier, Patricia Juste,
Marie-Hélène Leblanc, Jean-Pierre Leroux, Linda Nantel,
Paule Noyart, Ginette Patenaude, Robert Pellerin,
Jacqueline Vandycke

DISTRIBUTEURS EXCLUSIFS:

- Pour le Canada:
  AGENCE DE DISTRIBUTION POPULAIRE INC.*
  955, rue Amherst, Montréal H2L 3K4 (tél.: 514-523-1182)
  * Filiale de Sogides Ltée

- Pour la France et l'Afrique:
  INTER-FORUM
  13, rue de la Glacière, 75013 Paris (tél.: (1) 43-37-11-80)

- Pour la Belgique et autres pays:
  S. A. VANDER
  Avenue des Volontaires, 321, 1150 Bruxelles
  (tél.: (32-2) 762.98.04)

J'AIME LES VIOLETTES AFRICAINES

ROBERT
DAVIDSON

LES ÉDITIONS DE L'HOMME *

CANADA: 955, rue Amherst, Montréal H2L 3K4

*Division de Sogides Ltée

Données de catalogage avant publication (Canada)

Davidson, Robert

   J'aime les violettes africaines

   (Collection Pouce   vert)

   2-7619-0648-9

   1. Violettes africaines. I. Titre. II. Collection.

SB413.A4D38 1986   635.9'3381   C86-096488-4

Bibliothèque nationale du Québec
Dépôt légal — 4ᵉ trimestre 1986

ISBN 2-7619-0648-9

Voici la nouvelle collection que vous atten-diez. "Pouce vert" vous apprendra à vous familiari-ser avec les plantes que vous aimez, avec celles que vous rêvez d'introduire dans votre bonheur quotidien, avec celles qui ajouteront une touche personnelle à votre intérieur.

Un livre, une plante, un secret dévoilé par un spécialiste, c'est ce que vous offre cette collec-tion. Il ne suffit pas de tomber amoureux d'une plante, il faut savoir lui fournir les conditions né-cessaires à son bon développement, lui donner les moyens de s'adapter à son environnement, créer des liens avec elle, la rendre heureuse afin qu'elle s'épanouisse. C'est sa façon à elle de sourire.

Avec les ouvrages de la collection "Pouce vert", vos serres regorgeront de plantes magnifi-ques et vos assemblages décoratifs seront un régal pour les yeux.

Bon plaisir!
La directrice de collection

Odette Églat

À la découverte de la violette

L'origine

La violette africaine a été découverte par le baron Walter Von Saint-Paul en 1892 dans la région de Bujumbura. Cette dernière, située au nord-est du Tanganyika, est une zone tropicale de l'Afrique de l'Est.

Le baron expédia des graines et des plantes à son père en Allemagne. Ce dernier les fit parvenir à son tour au Jardin botanique de Herrenhausen. Le directeur de cet institut, Herman Wendland, donna le nom de *Saintpaulia* au genre en l'honneur des Saint-Paul.

Il décida également que le nom de l'espèce serait *ionantha*. Ce mot est tiré du grec et signifie: «qui a des fleurs comme la violette». C'est d'ailleurs à partir de cette dénomination que le nom populaire de violette africaine s'est répandu.

À partir de ce moment, la violette attira rapidement l'attention des horticulteurs à travers toute l'Europe. D'autres espèces furent découvertes et plusieurs d'entre elles ont été croisées. De constants travaux d'hybridation ont conduit à la grande variété des violettes africaines que nous connaissons à l'heure actuelle.

La description

Le *Saintpaulia* fait partie de la famille des gesnériacées tout comme l'*episcia*, le *sinningia* (gloxinia des fleuristes), l'*aeschynanthus* et le *columnea*. Il existe de nombreuses espèces bien que la plupart des violettes actuelles soient dérivées du *S. ionantha*.

Le nom populaire de violette africaine peut donner l'impression que la plante qui le porte est apparentée au genre *Viola* qui est la vraie violette. Il n'en est rien car ce genre appartient à une tout autre famille et est éloignée du point de vue botanique du *Saintpaulia*. Malgré ce faux rapprochement, le surnom de violette africaine s'est bien enraciné dans le langage populaire.

Le genre *Saintpaulia* se caractérise par une tige courte et plutôt mince, quoique certaines espèces possèdent une tige rampante bien développée. Les feuilles opposées, pubescentes et charnues sont de forme orbiculaire ou elliptique. Elles ont un long pétiole qui est rattaché à la tige.

L'ensemble donne l'apparence d'une rosette où chacune des tiges est appelée couronne. Certaines espèces ou variétés possèdent une couronne simple alors que d'autres se développent en couronnes multiples.

Les fleurs naissent sur des pédoncules. Elles possèdent généralement cinq pétales aplatis. Les anthères jaunes sont situées au centre de la corolle, et le fruit est une capsule.

Les espèces

Bien que la plupart des amateurs cultivent des hybrides dérivés du *S. ionantha*, il existe de nombreuses espèces aux traits distinctifs très intéressants. Le problème majeur réside dans la difficulté de les trouver sur le marché.

Vous pouvez orienter vos recherches vers les établissements spécialisés dans la culture de la violette africaine, ou même formuler une demande chez certains détaillants qui sont soucieux de répondre à un besoin pour peu qu'il se fasse sentir.

Voici donc une liste sommaire de quelques espèces. Il en existe beaucoup d'autres encore que vous découvrirez par vos recherches et avec l'aide d'autres amateurs passionnés.

S. diplotricha

Les feuilles sont vert pâle, plutôt minces et plates. La couronne simple produit des fleurs abondantes dont les couleurs vont du lilas à violet foncé.

S. goetzeana

Les feuilles arrondies naissent sur une tige rampante. Cette espèce a la réputation de fleurir difficilement. La corolle est de couleur lilas.

S. grotei

Les feuilles arrondies d'un vert moyen sont presque plates. Elles sont distribuées sur des tiges longues et brunes qui destinent cette espèce de port retombant à la culture en jardinière. Les fleurs ont une bordure bleu-violet et sont plus foncées au centre.

S. ionantha

Cette violette à grand développement est l'ancêtre de nos variétés modernes. Ses feuilles foncées et luisantes sont légèrement incurvées vers le haut. Les fleurs bleu-violet naissent en grappes nombreuses.

S. magungensis

Les feuilles arrondies sont d'un vert moyen et naissent le long d'une tige rampante s'enracinant aux noeuds. Les fleurs sont bleu-violet.

S. orbicularis

Ses feuilles sont très arrondies et ses fleurs blanches possèdent une teinte lavande près des anthères.

S. tongwensis

Les feuilles sont cordées et translucides et se distinguent par une bande de coloration plus pâle au centre. Les fleurs sont bleu pâle. Elle est souvent citée comme l'une des plus jolies espèces.

Description de la violette

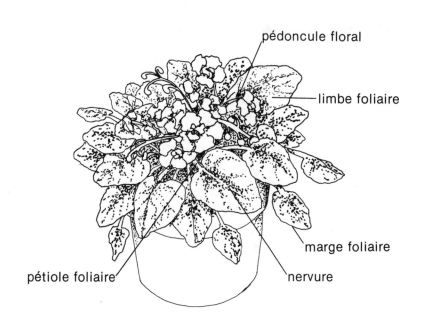

pédoncule floral

limbe foliaire

marge foliaire

pétiole foliaire

nervure

Violette au feuillage taché par l'eau froide.

Les variétés

Ce n'est pas par hasard que la violette africaine est si populaire de par le monde entier. Elle est peu dispendieuse, de petite taille, et surtout elle croît et fleurit bien dans nos maisons.

Un des traits majeurs de cette plante est sa grande variation d'un hybride à l'autre tant au niveau de son feuillage et de son port caractéristique que de ses fleurs. Cette variation peut aussi se manifester sur un même plant.

Il n'est pas rare d'observer des changements au niveau de l'apparence. Ceux-ci peuvent être reliés à l'âge, à l'environnement, à la saison et même à des mutations. Le riche bagage génétique de la violette peut causer bien des surprises à cet égard.

Les nombreuses variétés possèdent des feuilles aux différents tons de vert et sont quelquefois même panachées. La coloration, qui est souvent différente sur la partie inférieure, peut varier du blanc argenté à des teintes de rose et de rouge. La bordure de la feuille peut être finement dentelée et même ondulée ou lobée. Certaines variétés ont un limbe incurvé vers le haut et d'autres vers le bas.

Les violettes ont généralement une tige discrète mais certaines variétés ont un port retombant. Elles sont probablement dérivées d'espèces qui possédaient ces caractéristiques telles que *S. grotei*, *S. goetzeana* et *S. magungensis*.

D'autres hybrides sont dits miniatures, car leur taille ne dépasse pas la moitié de celle des violettes standard. Malgré cela les fleurs peuvent conserver une dimension très intéressante.

Les fleurs présentent également des variations presque infinies. On y retrouve des teintes de blanc, de bleu pâle, de pourpre et de rose. Les recherches pour créer une violette vraiment rouge ou même jaune n'ont pas encore abouti à ce jour.

La coloration des fleurs n'est pas stable et peut varier selon certains facteurs tels que l'acidité du sol, la lumière ou même une mutation. Les pétales de certaines variétés sont bicolores, d'autres ont une bordure ondulée et certaines sont même doubles. Ce dernier trait est souvent instable.

On voit, d'après ce qui précède, toute la richesse des différentes variétés de *Saintpaulia*. Si vous désirez agrandir votre collection, il faudra sortir des voies d'approvisionnement régulières qui s'en tiennent souvent aux mêmes variétés telles que «Optimara» et «Rhapsodie».

De plus, celles-ci ne sont pas toujours identifiées. Un réseau d'amateurs qui se regroupent par le biais d'associations représente un pas certain vers la bonne direction.

Le bon environnement

Violette ayant développé un tronc.

La lumière

L'orientation idéale

La violette africaine croît, à l'état naturel, dans des endroits ombragés. Cette caractéristique explique pourquoi elle s'adapte si bien à nos maisons. C'est l'intensité lumineuse, c'est-à-dire la quantité de lumière reçue, qui détermine le choix de l'emplacement de culture.

Celle-ci se mesure à l'aide d'un appareil appelé photomètre. Elle s'exprime en lux dans le système métrique et en pied-chandelle dans le système anglais (10,76 lx équivaut à 1 p.-c.) On admet généralement que les plants de violettes matures fleurissent bien entre 10 760 et 16 140 lx (1 000 à 1 500 p.-c.) de lumière naturelle.

Les jeunes plants préfèrent, quant à eux, une intensité réduite à un minimum de 8 600 lx (800 p.-c.). Toutes les violettes africaines resteront au stade végétatif, ce qui veut dire qu'elles ne fleuriront pas, en deçà de 5 380 lx (500 p.-c.).

Comme tous ne disposent pas d'un photomètre, précisons que 5 380 lx (500 p.-c.) est la quantité de lumière reçue lors d'une sombre journée d'hiver. Une valeur de 10 760 lx (1 000 p.-c.) est atteinte dans une pièce claire par une belle journée de printemps.

Plusieurs facteurs affectent l'intensité lumineuse, tels que le changement de saison et la situation géographique. De plus, toutes les variétés de violettes cultivées n'ont pas besoin de la même quantité de lumière. Voilà pourquoi il est difficile d'indiquer une orientation que l'on pourrait conserver à l'année longue.

Durant l'hiver, les journées sont courtes et généralement plus sombres sous nos latitudes nordiques. Pendant cette période, il est préférable de placer la plante devant une fenêtre ensoleillée orientée vers le sud, ou bien située à l'est ou à l'ouest. L'orientation vers le nord ne permet généralement pas la floraison.

Les rayons de soleil deviennent plus ardents à l'approche du printemps. Dès le début du mois de mars et ce, jusqu'en septembre et même en octobre, il faut éviter le soleil de midi. Il est préférable de profiter de l'ensoleillement tôt en matinée ou à la fin de l'après-midi. Beaucoup de gens choisissent une fenêtre à l'est durant cette période.

Certaines variétés demandent une luminosité plus vive que d'autres. Ainsi, celles dont les feuilles sont panachées exigent généralement plus de lumière. Cela est dû au fait que seules les parties foliaires vertes possèdent la chlorophylle nécessaire à la photosynthèse. La feuille panachée est donc moins efficace qu'une feuille entièrement verte et doit recevoir plus de lumière pour compenser cet handicap.

Ces détails de culture se découvrent habituellement en observant la qualité du plant selon l'intensité lumineuse reçue. Faites vos propres expériences: déplacez vos violettes d'une fenêtre à l'autre selon les saisons et trouvez l'orientation qui leur permettra la meilleure floraison.

Les conditions de luminosité varient beaucoup d'une maison à l'autre. Vous avez peut-être un ami qui a des plants magnifiques devant une fenêtre plein sud alors que les vôtres végètent bien qu'ils aient la même orientation. Cette insuffisance de clarté peut être causée par l'ombre d'un arbre situé devant la fenêtre, ou bien par la présence de voilages sur cette dernière. C'est pourquoi chacun est le meilleur juge pour évaluer l'emplacement de ses plants en fonction des conditions d'environnement.

Finalement, glissons quelques mots sur le phototropisme. Ce mot est utilisé pour désigner les mouvements de la plante vers la lumière. Ainsi, vous aurez certainement remarqué que la violette dirige ses feuilles vers la fenêtre. Il y a donc toujours un côté moins développé, en l'occurrence celui qui est opposé à la lumière.

Tout amateur de violettes préfère un plant bien symétrique. Pour y parvenir, prenez l'habitude de tourner la plante de un quart de tour chaque semaine ou à chaque arrosage.

Le manque de lumière

La croyance populaire veut que la violette soit rigoureusement tenue à l'écart de tout rayon de soleil direct. Il faut nuancer quelque peu cette affirmation. En effet, l'ensoleillement est un facteur qui stimule la floraison: tout est question de dosage et l'excès n'est pas souhaitable. Il n'en demeure pas moins que le manque de lumière est la principale cause de l'absence de floraison chez cette plante.

Une lumière insuffisante est également responsable d'un feuillage tendre et très foncé, aux pétioles allongées. On a l'impression que la violette est en parfaite santé, mais pourtant les fleurs ne se forment pas. Cela arrive très fréquemment.

Si vous notez ces symptômes, choisissez une fenêtre plus ensoleillée. Ce problème se rencontre plus souvent durant les sombres journées hivernales qu'en été. Si vous ne disposez que d'une fenêtre au nord, il est recommandé de peindre les murs de la pièce d'une couleur claire pour qu'ils réfléchissent la lumière.

Sous un éclairage réduit, la plante fonctionne au ralenti. Compensez cette baisse d'activité par des arrosages et des fertilisations plus espacées. Cette pratique permet de conserver le plant sans toutefois favoriser la floraison. L'éclairage artificiel est une solution dont nous reparlerons un peu plus loin.

L'excès de lumière

Un excès de lumière cause une décoloration du feuillage en détruisant la chlorophylle, pigment à l'origine de la couleur des feuilles. Les fleurs peuvent également être endommagées.

Ce genre de situation peut se rencontrer si on

cultive les violettes en plein sud durant l'été ou si on les déplace brusquement d'un endroit sombre à un emplacement ensoleillé. Dans ce dernier cas, les symptômes énumérés apparaîtront en moins d'une semaine.

Les solutions sont tout de même plus simples que lorsque l'on fait face à un manque de lumière. Placez d'abord un voilage devant les vitres pour atténuer la force des rayons de soleil. Éloignez vos violettes de la fenêtre en déterminant la distance de culture idéale. Celle-ci pourra varier selon la saison.

L'éclairage artificiel

Les violettes africaines se cultivent bien sous l'éclairage artificiel qui peut être requis dans plusieurs cas. Cette caractéristique contribue à faire de cette plante un des classiques de ce mode de culture.

Tout le monde ne dispose pas d'une fenêtre bien orientée. Dans certains cas, il n'existe aucune lumière naturelle disponible, dans un sous-sol ou un espace de bureau par exemple. L'éclairage artificiel devient alors la solution appropriée. La violette s'y prête admirablement bien.

Beaucoup d'amateurs, même s'ils disposent de fenêtres adéquates, préfèrent cultiver leurs violettes sous éclairage artificiel car la lumière se répartit de façon plus uniforme, ce qui permet d'allonger la période de floraison. Il n'est pas rare de voir les violettes fleurir à l'année grâce à cette méthode. Un autre avantage réside dans l'apparence plus symétrique du plant.

Il existe différents dispositifs vendus sur le marché. Certains comprennent déjà l'installation électrique, les réflecteurs, les tubes et les tablettes. Il est relativement facile de se fabriquer soimême un système moins dispendieux en respectant les quelques principes suivants.

Tout d'abord, les tablettes doivent être dégagées de tous les côtés plutôt qu'appuyées contre un mur, car il doit y avoir une bonne circulation d'air tout autour du plant. Pour augmenter l'efficacité du montage, peignez les murs de la pièce en blanc afin que la lumière s'y réfléchisse.

Maintenant, examinons les principes qui dictent le choix de la source lumineuse. La lumière du jour dite lumière blanche, se compose de toutes les couleurs de l'arc-en-ciel. Or la plante ne les utilise pas toutes de la même façon. Elle réagit beaucoup au bleu et au rouge, et relativement peu aux autres couleurs.

On devine que la lumière du jour répond à ces besoins sans problème. Cependant, quand on utilise une source de lumière artificielle, il faut bien s'assurer que le bleu et le rouge soient présents en quantité suffisante.

Ainsi, les ampoules incandescentes ne sont pas suffisantes pour la croissance végétale, car elles émettent beaucoup de rouge et peu de bleu. De plus, elles dégagent trop de chaleur, ce qui peut endommager les plants.

La lumière fluorescente répond beaucoup mieux aux besoins des végétaux. D'une part elle ne dégage que peu de chaleur: ce qui permet de la placer près des plantes. D'autre part, il est possible d'avoir un bon rapport de bleu et de rouge en respectant certaines règles.

Ainsi, les tubes fluorescents de type *Cool White* ou *Daylight* émettent beaucoup de bleu mais peu de rouge. Le tube *Warm White*, à l'inverse, dégage plus de rouge que de bleu. On voit donc qu'en combinant un *Cool White* ou un *Daylight* avec un *Warm White*, on respecte l'équilibre de bleu et de rouge requis par la plante.

Il existe certains tubes qui sont conçus spécialement pour la culture des plantes. Ils sont balancés en bleu et en rouge. Bien que plus dispendieux que ceux qui sont énumérés plus haut, ils peuvent être emloyés seuls (ex: *Gro-Lux*). Enfin, il est préférable de se procurer des tubes de 40 W qui ont une durée supérieure à ceux de 20 W.

Les tubes doivent être aussi longs que la rangée de plantes qu'ils éclairent car ils sont plus puissants au centre qu'aux extrémités. C'est pourquoi il faut éviter de placer deux tubes bout à bout quand il est possible de n'en mettre qu'un seul.

Un autre moyen d'augmenter l'efficacité du système consiste à placer des réflecteurs au-dessus des tubes afin de concentrer la lumière sur les plantes. La distance recommandée entre le sommet des violettes et les fluorescents est de 15 à 30 cm.

Beaucoup de plantes fleurissent lorsque la durée du jour atteint un certain seuil. On appelle ce mécanisme le photopériodisme. La violette africaine est, quant à elle, indifférente à la longueur des jours. Sa floraison est plutôt reliée à un niveau optimal de luminosité.

Ainsi, on conseille de laisser les tubes allumés de 12 à 14 heures par jour. Les gens qui disposent d'un photomètre pourront calculer une intensité au-dessus des plants de 6 450 lx (600 p.-c.) pour 15 à 18 heures par jour. Certains amateurs diminuent la durée d'éclairement à 10 heures durant l'été pour éviter des dommages en période de chaleur. Enfin, l'achat d'une minuterie épargne bien des tracas et permet de partir en vacances sans inquiétude.

La température

Il faut se référer au lieu d'origine de la violette pour bien saisir ses particularités au niveau de la température. On découvre ainsi qu'elle provient d'un environnement tropical humide où le mercure peut grimper jusqu'à 30 à 32°C, et ne descend que rarement en dessous de 18°C.

Ces caractéristiques originelles expliquent pourquoi la violette s'adapte si bien dans nos intérieurs modernes. Examinons maintenant de façon plus précise les éléments qui permettent d'améliorer la qualité générale des plants.

Pour y parvenir, penchons-nous tout d'abord sur un mécanisme de base qui se produit chez tous les végétaux. Durant le jour, la plante fabrique des hydrates de carbone à l'aide de l'énergie lumineuse. C'est ce qu'on appelle la photosynthèse. Par ce phénomène, elle accroît ses réserves et, par conséquent, sa taille.

Durant la nuit, l'absence de lumière ne permet pas la photosynthèse. La respiration est donc la principale fonction de la plante. C'est-à-dire qu'à ce moment, elle utilise ses réserves nutritives pour répondre à ses besoins. C'est en fait exactement la réaction inverse de la photosynthèse.

De quelle façon peut-on tirer profit de ce phénomène? Eh bien, on voit qu'il y a avantage à maintenir la quantité d'hydrates de carbone emmagasinée durant le jour supérieure à celle qui est brûlée durant la nuit.

On y parvient en réduisant la température nocturne de quelques degrés, ce qui ralentit les pertes de sucres par la respiration.

Certaines études ont montré qu'une différence de température entre le jour et la nuit augmente la taille des fleurs de près de 25 p. 100, accroît le nombre de pétales, favorise la production de fleurs doubles chez certaines variétés, intensifie les couleurs de la corolle et accentue la bordure blanche sur les fleurs des variétés bicolores.

La température nocturne qui permet d'augmenter ainsi la qualité des plants semble être d'environ 15 à 18°C. L'important est de maintenir une différence de quelque 5°C entre le jour et la nuit. Il est préférable de donner un peu plus de chaleur aux jeunes plants, car on considère qu'il n'y a pratiquement plus de croissance foliaire quand la température est inférieure à 13°C.

Les variétés panachées représentent un cas particulier, car la température fraîche accentue le contraste entre les bordures blanches et la partie verte de la feuille. Il semble que cela soit dû à l'activité plus faible des bactéries du sol à la fraîcheur, ce qui limite les dégagements d'azote.

Comme nous le verrons plus loin, cet élément est responsable de la couleur verte de la feuille.

Enfin, toutes les violettes montreront des problèmes culturaux divers si on maintient la température inférieure à 16°C. Dans de telles conditions, la croissance ralentit; les feuilles deviennent cassantes et s'inclinent vers le bas. Ls pigments rouges à la face foliaire inférieure s'intensifie et le coeur du plant tend à jaunir. Finalement, la floraison est rare et de mauvaise qualité.

À l'inverse, une température constamment trop élevée (supérieure à 25°C) est responsable des plants aux parties faibles et allongées. Les fleurs sont produites en petite quantité. Elles ont peu de pétales et manquent de couleur.

Nous venons de voir ce qui se passe lorsque la température est, ou bien toujours trop élevée, ou trop basse. Nous avons également vu qu'il doit y avoir une différence de quelques degrés entre le jour et la nuit. Il peut arriver qu'un écart démesuré de température se produise dans certains cas.

Cette situation peut survenir durant l'hiver quand la violette est laissée entre le rideau et la vitre. La température peut baisser considérablement pendant la nuit et endommager la plante. Durant la période estivale, c'est la chaleur extrême qui peut être néfaste. Lors d'une canicule, choisissez une fenêtre fraîche, orientée au nord par exemple.

Violette à couronnes multiples.

L'humidité de l'air

Les violettes africaines proviennent d'un milieu naturel où l'humidité de l'air est d'environ 60 à 70 p. 100. Un tel pourcentage d'humidité serait plutôt inconfortable à l'intérieur d'une maison. C'est pourquoi on considère qu'un niveau de 40 à 60 p. 100 est suffisant pour conserver la qualité du plant.

De façon générale, l'humidité normale de la pièce convient à la violette durant l'été. Cependant, la situation n'est pas la même en hiver. En effet, le chauffage à air chaud fait baisser l'humidité de la pièce. Il n'est pas rare alors de mesurer un taux de 10 à 20 p. 100.

Cette atmosphère sèche cause plusieurs problèmes. Tout d'abord, le feuillage tend à se recroqueviller. La floraison peut ne pas avoir lieu ou alors les fleurs tombent avant même d'éclore.

On remarque également que les jeunes plants demandent plus d'humidité que les spécimens matures. Ces derniers, exposés à un excès d'humidité, tendent à développer des problèmes fongiques qui entraînent une pourriture de la couronne, de la tige ou des feuilles. Cela n'est tout de même pas fréquent, sauf en terrarium.

Comment parvenir à régler le degré d'humidité durant l'hiver? Plusieurs solutions s'offrent à nous. On peut d'abord mettre les plants dans les pièces les plus humides de la maison, c'est-à-dire la salle de bain et la cuisine, pourvu que la lumière y soit suffisante.

Il est également recommandé de regrouper vos plantes. Il se crée alors un environnement plus humide autour de celles-ci que si chacune est isolée. Vous pouvez également utiliser un humidificateur. Les plantes apprécient grandement les bienfaits de cet appareil et votre confort personnel en est d'autant accru.

Il existe aussi un moyen très simple d'augmenter l'humidité autour de chacun des plants. Pour cela, il faut se procurer une soucoupe dont le diamètre excède de 5 cm celui du pot. À titre d'exemple, une violette cultivée dans un pot de 10 cm — ce qui est fréquent — aura besoin d'une soucoupe de 15 cm de diamètre.

Emplissez la soucoupe d'un matériel inerte tel que du gravier ou de la perlite. Maintenez de l'eau en permanence dans celle-ci jusqu'à mi-hauteur. De cette façon, l'eau ne sera pas en contact avec les trous de drainage, ce qui évite les problèmes de pourriture éventuels mais s'évapore continuellement autour du plant, augmentant ainsi considérablement l'humidité: de trois à cinq fois celle de la pièce.

Ce moyen est très efficace pour peu que l'on

veille à toujours laisser de l'eau dans la soucoupe sans que la base du pot soit mouillée. On peut également fabriquer un grand plateau où l'on pourra placer plusieurs pots. Il existe sur le marché des caissettes de plastique non perforées qui conviennent très bien à cet usage.

Il est également possible de vaporiser les plants avec de l'eau tiède. Il faut alors prendre certaines précautions. La feuille de la violette est pubescente, ce qui signifie qu'elle est recouverte de poils qui retiennent l'eau à sa surface. Cela peut occasionner des problèmes de pourriture.

Cela se produit tout particulièrement lorsqu'on vaporise le soir, car l'eau n'a pas le temps de sécher avant la nuit. Cette situation crée un milieu propice aux maladies fongiques. Si on vaporise dans l'après-midi, les petites gouttelettes, pareilles à des loupes, font converger les rayons du soleil qui peuvent brûler les feuilles. C'est pourquoi on recommande de procéder à cette opération au cours de la matinée afin de permettre un assèchement rapide.

Les violettes africaines sont quelquefois plantées dans un terrarium. Cette technique convient bien aux jeunes plants, mais semble causer des problèmes de pourriture aux plus âgées. On conseille donc d'utiliser un terrarium ouvert pour ces dernières.

La culture

L'arrosage

La violette africaine possède une certaine résistance à la sécheresse et aux arrosages excessifs. Dans de telles conditions , elle ne fait d'ailleurs que survivre au détriment de sa qualité. Les conseils suivants aideront à mieux cerner ses exigences.

La fréquence de l'arrosage

La fréquence de l'arrosage varie en fonction de plusieurs facteurs. Ainsi, les violettes consomment plus d'eau en période de croissance active que durant leur repos végétatif. La composition du terreau exerce aussi une influence. Les mélanges riches en mousse de tourbe ont une rétention d'eau très grande et ont besoin, par conséquent, d'arrosages moins fréquents.

L'humidité ambiante joue également un certain rôle. Lorsque l'air est très sec — comme c'est souvent le cas en hiver —, la plante a tendance à perdre plus d'eau. Il faut alors compenser par des arrosages plus fréquents.

La lumière est un autre facteur important. Il faut arroser davantage durant une semaine ensoleillée que lorsque les jours sont gris.

Lorsque l'on vient de rempoter une plante, il faut l'arroser moins souvent. En effet, elle se retrouve tout d'un coup dans un pot plus grand, ce qui constitue une réserve d'eau supérieure à ce que les racines avaient l'habitude d'absorber.

Les indices du besoin en eau

Il faut arroser quand le sol prend une teinte plus claire et qu'il ne colle plus aux doigts. Chaque mélange de terreau possède ses propres caractéristiques quant à l'arrosage. Vous êtes le meilleur juge pour décider à quel moment la plante a besoin d'eau.

Précisons tout de même qu'il faut laisser sécher légèrement en surface entre les arrosages. Il ne faut pas attendre que les pétioles et les feuilles commencent à amollir. Cet état s'appelle flétrissement et indique qu'il y a eu négligence.

La qualité de l'eau

La règle la plus importante à respecter est d'utiliser de l'eau qui soit à la température de la pièce, ou même de quelques degrés plus élevée. Celle-ci doit être de 18 à 21°C, sans toutefois excéder 27°C.

L'eau froide décolore les feuilles; de plus, elle refroidit le sol, ce qui crée un choc au niveau des racines. La floraison en est affectée.

L'eau de pluie n'est pas recommandée, car elle peut contenir divers polluants qui peuvent nuire à la plante. L'eau du robinet convient à la condition de la laisser reposer pendant quelques heures afin que le chlore qu'elle contient s'évapore.

Il faut tout de même préciser que l'eau qui vient de la station d'épuration a déjà perdu une bonne partie de son chlore lorsqu'elle arrive à la maison. Il est rare d'observer des dégâts dûs à ce gaz sauf peut-être avec des cultures hydroponiques.

Certaines municipalités ont un problème d'eau dure, caractérisée par la présence de sels calciques. À la longue, cela contribue à faire augmenter le pH du sol. Il est possible de régler ce problème en utilisant de la mousse de tourbe comme source de matière organique dans le terreau. La légère acidité de celle-ci contrebalancera l'effet de l'eau dure. De plus, un bon lessivage (voir plus loin) aidera à prévenir bien des problèmes.

La façon d'arroser

Il existe plusieurs méthodes d'arrosage qui comportent chacune des avantages et des inconvénients.

L'arrosage par le dessus

Contrairement à une croyance très répandue, les violettes se prêtent très bien à un arrosage par le dessus. Il faut cependant respecter certaine règles. Munissez-vous tout d'abord d'un arrosoir avec un long bec pour pouvoir mieux diriger le jet d'eau.

Évitez de mouiller les feuilles et particulièrement celles du coeur de la violette, car cela peut les faire pourrir. Arrosez de façon à bien imbiber la motte de terre. Un moyen sûr d'y parvenir est de laisser s'écouler une certaine quantité d'eau par les trous d'évacuation. Éliminez l'eau qui reste dans la soucoupe au bout d'une heure.

Il est préférable d'arroser le matin. De cette façon, les éclaboussures d'eau éventuelles auront le temps de sécher avant le soleil de midi. L'arrosage du soir est déconseillé car, en plus d'augmenter les risques de pourriture, il peut causer des taches foliaires. En effet, l'eau qui s'évapore sur les feuilles contribue à les refroidir. Cet effet est amplifié par les températures nocturnes plus fraîches.

Le principal avantage de cette méthode est qu'elle permet d'éviter l'accumulation des sels en surface, ce qui n'est pas le cas des autres méthodes.

Certains amateurs ont tendance à imbiber de façon constante le terreau de leur violette. Cet excès est nuisible à plusieurs niveaux. Un sol saturé d'eau est caractérisé par un manque d'oxygène. Cela entraîne la dégradation et la pourriture des racines qui ne parviennent plus à absorber l'eau du sol. À partir de ce moment, la plante se flétrit de façon permanente, exactement comme si elle manquait d'eau.

Les symptômes suivants sont également reliés à un arrosage excessif: la pourriture du plant, le jaunissement du feuillage, l'absence de floraison ou la chute des boutons à fleurs lorsqu'ils sont présents. Dans certains cas, il se forme de l'oedème à la surface des feuilles.

À l'autre extrême, il faut éviter de «sous-arroser» le plant. Cela peut se produire si on ne donne pas assez d'eau à la fois, de sorte que la base de la motte de terre demeure sèche, affectant les racines qui s'y trouvent.

L'arrosage par la soucoupe

Cette façon de procéder exige l'emploi d'une soucoupe suffisamment large pour contenir toute l'eau dont la plante peut avoir besoin en un seul arrosage. L'eau versée monte dans le pot par capillarité. Il faut éliminer le surplus d'eau qui demeure dans la soucoupe après une heure.

Cette méthode d'arrosage évite de perturber le sol et de tacher le feuillage. Son désavantage réside dans l'accumulation de sels minéraux en surface qui sont entraînés par le mouvement ascendant de l'eau.

Ces sels, lorsqu'ils viennent en contact avec des parties de la plante, peuvent occasionner des lésions aux tissus végétaux. Pour éviter ce problème, on recommande de pratiquer de temps en temps l'arrosage par le dessus, une fois par mois par exemple. Le lessivage est une autre solution que nous verrons plus loin.

L'arrosage avec une mèche

Il existe sur le marché différents types de pots qui fonctionnent comme suit: la plante est cultivée dans un contenant dont la base laisse s'échapper une mèche poreuse; celle-ci baigne dans un deuxième contenant qui est le réservoir d'eau.

De cette façon, la violette absorbe l'eau nécessaire à sa croissance selon ses besoins. Pour éviter que le sol ne soit constamment saturé, il est recommandé de laisser sécher le réservoir d'eau au moins 24 heures avant de le remplir à nouveau.

L'accumulation des sels minéraux en surface est le principal inconvénient de cette façon d'arroser et les solutions sont les mêmes que celles dont nous venons de parler pour la méthode précédente.

Arrosage avec une mèche

Contenant de culture

Mèche

Réservoir d'eau

Le lessivage des sels minéraux

Cette technique consiste à laisser tremper la violette dans un récipient d'eau pendant environ une heure. Le niveau de l'eau doit être légèrement sous le rebord du pot afin d'éviter que le terreau ne s'échappe.

Le but de cette opération est de permettre à l'excès de sels minéraux de s'éliminer du sol. Ceux-ci proviennent des engrais et de l'eau de l'arrosage elle-même. On recommande de pratiquer le lessivage à tous les deux ou trois mois, avant d'effectuer une fertilisation.

Il existe un autre cas où cette opération s'avère fort utile. Il vous est sûrement déjà arrivé d'oublier d'arroser votre violette jusqu'à ce que le terreau se décolle des parois du pot. L'eau d'arrosage s'écoule alors directement par cet espace sans mouiller la motte de terre. Le trempage est essentiel pour réussir à l'imbiber de nouveau.

Bouture de feuille avec des rejets.

La fertilisation

La formule des engrais

Tous les engrais sont identifiés par trois chiffres consécutifs représentant respectivement les pourcentages d'azote, de phosphore et de potassium. À titre d'exemple, l'engrais 10-30-20 contient 10 p. 100 d'azote, 30 p. 100 de phosphore et 20 p. 100 de potassium. En additionnant ces pourcentages, on arrive à un total de 60 p. 100. Les 40 p. 100 qui reste constituent le matériel inerte, sans effet sur la fertilisation.

Le rôle des éléments

Les fertilisants constituent une source de nourriture pour la plante. Plusieurs éléments sont nécessaires à sa bonne santé. Certains d'entre eux sont requis en grande quantité: ce sont les éléments majeurs. Les trois plus importants sont ceux qui caractérisent la formule de l'engrais, soit l'azote (N), le phosphore (P) et le potassium (K).

Les autres éléments majeurs sont le calcium, le magnésium et le soufre.

Il est important de bien comprendre le rôle de ces éléments, en particulier celui de l'azote, du potassium et du phosphore. Cela éclairera davantage le choix de la bonne formule pour la violette.

L'azote (N):

Il joue un rôle au niveau de la croissance végétative du plant. Il fortifie tout ce qui est vert, donc les feuilles et les tiges. Un manque de cet élément entraîne un jaunissement généralisé. Un excès d'azote cause un allongement des pétioles et des feuilles. Il nuit alors à la formation des fleurs et contribue à la perte des boutons existants.

Le phosphore (P):

Il touche principalement deux fonctions de la plante, soit la formation des racines et la production des fleurs et des graines. Lorsque cet élément vient à manquer, on note une perte de coloration foliaire. Cela peut également empêcher la violette de fleurir malgré une apparence tout à fait normale. L'excès de phosphore cause une apparence générale flasque.

Le potassium (K):

C'est l'élément qui donne de la vigueur au plant. Il contribue à prévenir les maladies et stabilise la croissance. Il intensifie la couleur des fleurs. Sa carence se remarque d'abord par un jaunissement de la bordure des feuilles qui finit par brunir et sécher.

Nous venons d'examiner les fonctions des éléments majeurs. Il existe également des éléments requis par la plante en petites quantités. On les nomme les micro-éléments ou oligo-éléments. Il serait trop fastidieux d'analyser ici le rôle de chacun d'eux ainsi que les conséquences de leurs carences. Cependant, il est important de vérifier que l'engrais employé en contient, surtout si on utilise un terreau synthétique qui lui, en est dépourvu.

Le bon engrais pour la violette

Il existe différents types d'engrais vendus sur le marché. Certains sont d'origine organique (os moulu, émulsion de poisson), d'autres sont minéraux (chaux horticole, super-phosphate), d'autres enfin sont chimiques. Les engrais organiques et minéraux ont la propriété de se libérer lentement dans le sol. Nous verrons le rôle de chacun d'eux dans la section portant sur le terreau.

L'émulsion de poisson est quelquefois utilisée pour fertiliser les violettes. Elle contient un peu d'azote (5-1-1) et se dégrade lentement dans le sol. On peut cependant lui reprocher l'odeur désagréable qui se dégage du terreau après la fertilisation.

Les engrais chimiques pour la violette peuvent se présenter sous deux formes: liquide ou en poudre. Les produits liquides, même s'ils conviennent à la fertilisation, ont le désavantage d'être plus dispendieux à l'usage que les poudres solubles dans l'eau.

Parmi ces dernières, il existe plusieurs formules. Toutes se diluent dans l'eau; la dose recommandée est inscrite sur l'emballage. Lors de la croissance végétative du plant, il est préférable d'utiliser un engrais balancé dans un rapport 1-1-1 tel le 20-20-20.

Durant la floraison, il faut combler le besoin plus élevé de phosphore par des applications de 15-30-15 ou de 10-30-20. Les violettes à feuillage panaché ont des besoins particuliers. En effet, l'excès d'azote a tendance à rendre leurs feuilles entièrement vertes, ce qui constitue une caractéristique indésirable. Il faut dont choisir un engrais faible en azote.

Il en existe qui sont spécialement conçus pour elles. Ces engrais contiennent également beaucoup de phosphore. Ils sont difficiles à trouver sur le marché et il faut souvent passer par l'entremise d'entreprises spécialisées ou par le biais d'associations de violettes africaines.

Les méthodes et la fréquence de fertilisation

Il existe deux façons d'appliquer des engrais. L'une consiste à fertiliser périodiquement avec une solution concentrée. Ainsi, on pourra mélanger 5 g d'engrais dans 1 l d'eau et en arroser le sol tous les mois. Le seul risque est d'endommager le système racinaire délicat de la violette.

L'autre moyen est appelé la fertilisation constante. Il s'agit d'appliquer l'engrais par petites doses lors de chaque arrosage. Dans ce cas, mélangez environ 1 g d'engrais dans 1 l d'eau. Cette façon de procéder ne cause pas de choc aux racines et devrait être préféré à la fertilisation périodique.

Le sol doit être humide au moment de l'application d'engrais pour éviter un stress à la plante. Cette remarque perd de l'importance si on effectue la fertilisation à chaque arrosage.

La violette africaine traverse des périodes de floraison intensive suivies de périodes de repos. Il est préférable de ne pas fertiliser durant le repos. Il faut également s'abstenir d'appliquer des engrais sur une violette fraîchement empotée. Dans ce cas, attendez que les racines aient occupé le volume du nouveau pot, ce qui pourra prendre quelques mois.

Une violette malade ou affaiblie par autre chose que le manque d'engrais ne doit pas subir de fertilisation car elle n'a pas l'énergie nécessaire pour l'assimiler. Cela pourrait alors l'endommager et même la tuer. Laissez-lui le temps de se remettre avant de revenir à l'entretien normal.

Le type de terreau influence également la fertilisation. Bien que le terreau synthétique convient très bien à la violette (voir plus loin), il ne contient des éléments nutritifs que pour une courte période. Il faut donc fertiliser régulièrement pour répondre aux besoins nutritifs du plant.

Enfin les sombres journées hivernales peuvent entraîner un ralentissement de la croissance, sauf si la violette est cultivée sous un éclairage artificiel. Les journées très chaudes de l'été peuvent causer la même stagnation. Dans ces deux cas, diminuez l'apport d'engrais.

Les problèmes particuliers

Plusieurs causes peuvent entraîner une réduction de la croissance chez la violette africaine. Si vous êtes certain que la lumière, la température, l'humidité, l'arrosage et le terreau sont adéquats, il est possible que la fertilisation soit le problème cultural.

Cette situation est fréquente chez les amateurs qui n'appliquent jamais d'engrais sur leurs violettes, surtout si elles sont conservées dans le même pot année après année.

À l'autre extrême, un excès de fertilisants peut causer beaucoup de tort. Le risque est considérablement diminué par la fertilisation constante. De toute façon, il est sage de procéder à un lessivage aux deux à trois mois pour éviter une accumulation nocive d'engrais.

Le terreau

Les propriétés d'un bon terreau

De façon générale, un bon terreau doit remplir les quatre fonctions suivantes: être un réservoir d'éléments nutritifs, permettre la rétention d'eau, avoir une bonne aération et servir de support à la plante.

La violette africaine peut croître dans différents types de terreau, pourvu que ceux-ci répondent aux critères fonctionnels que nous venons d'énumérer. Il est, de plus, particulièrement important que le choix se porte sur un mélange léger et bien aéré pour permettre une bonne pénétration des racines.

Les éléments du terreau

Divers éléments entrent dans la composition d'un terreau. La terre noire joue un rôle de rétention d'eau et d'éléments nutritifs. Elle doit posséder une bonne structure pour permettre une circulation efficace de l'eau et de l'air au niveau du sol. Il n'est pas recommandé de prélever la terre du jardin, car elle a tendance à former une motte dure et compacte lorsqu'on la met en pot. Les établissements spécialisés constituent de bonnes sources d'approvisionnement.

Le compost est quant à lui un produit obtenu après la fermentation de divers résidus animaux ou végétaux. Il en existe à base de feuilles, de débris végétaux, de fumiers, etc. Le contenu élevé en matière organique permet de développer un sol avec une bonne structure et, par conséquent, bien aéré. C'est également une réserve d'éléments nutritifs.

La mousse de tourbe provient de la décomposition de végétaux en milieu de tourbière. C'est une source de matière organique qui facilite l'aération et la rétention d'eau. Ce dernier point est utile pour diminuer la fréquence des arrosages.

La vermiculite est un mica naturel dilaté par un traitement industriel. Cela a pour but d'augmenter la capacité de rétention d'eau du terreau. Chaque particule peut absorber l'humidité du sol, s'étirant comme un accordéon. Son volume augmente également l'aération du sol. De plus, la vermiculite est un minerai qui retient bien les éléments nutritifs.

Le sable grossier se caractérise par une grande porosité. Ce trait améliore l'aération d'un mélange, bien qu'il ne contribue pas à nourrir la plante. Son poids élevé augmente le support de celle-ci.

La perlite est un minerai volcanique traité en industrie pour former de petites billes blanches.

Elles contiennent des espaces remplis d'air, mais étanches à l'eau. Cela explique son poids léger, ainsi que son rôle apprécié au niveau de l'aération. Son emploi est cependant plus dispendieux que le sable dont elle est généralement un substitut.

Le choix du terreau de la violette

Le mélange traditionnel qui convient à la plupart des plantes consiste en une partie de terre noire, une de mousse de tourbe et une de sable. On peut remplacer une partie de la mousse de tourbe par du compost, et le sable par de la perlite.

De nombreuses formules existent pour la violette africaine. La recette citée plus haut lui convient bien et permet une bonne pénétration des racines. Beaucoup d'amateurs préfèrent cependant utiliser les proportions suivantes: une partie de terre noire, une de sable et deux de mousse de tourbe.

Selon les caractéristiques des éléments, on voit que ce dernier mélange permet d'obtenir un sol plus léger qui retient davantage l'humidité. Ces propriétés sont très appréciées dans la culture de la violette. À partir des proportions suggérées, vous pouvez tenter vos propres expériences afin de développer une expertise personnelle.

Il existe sur le marché un terreau spécialement conçu pour les violettes africaines. Il s'agit généralement d'une terre noire qui devient trop compacte lorsqu'on l'emploie seule. Il faudra la mélanger avec d'autres ingrédients tel que recommandé plus haut.

À côté de ces mélanges traditionnels qui contiennent de la terre, on trouve ce qu'on appelle le terreau synthétique. L'expression semble faire peur à bien des gens qui s'imaginent à tort que ce type de terreau n'a rien de naturel. En fait, on utilise le terme «synthétique» tout simplement pour signifier qu'il n'y pas de terre incluse dans le mélange.

Les ingrédients employés sont mélangés dans des proportions qui respectent les quatre fonctions requises pour l'obtention d'un bon terreau. De plus, le terreau synthétique est aéré, léger et retient bien l'humidité. Toutes ces qualités en font un bon choix pour la violette africaine.

Diverses formules existent sur le marché, telles: 60 p. 100 de mousse de tourbe, 20 p. 100 de perlite et 20 p. 100 de vermiculite. Vous pouvez également fabriquer vous-même votre terreau en respectant ces proportions, ou en tentant divers mélanges tels que: 75 p. 100 de mousse de tourbe et 25 p. 100 de perlite.

Les amendements du terreau

Après avoir décidé du terreau à employer, il faut procéder à l'application de divers amendements. Le premier point à considérer concerne le pH du sol. Cette notion se réfère au degré d'acidité du terreau. Un pH de 7 est dit neutre. Il est acide s'il est inférieur à 7 et alcalin (ou basique) s'il y est supérieur.

Il est important de connaître le pH du sol car il détermine la disponibilité des éléments qu'il contient pour la plante. On considère que la violette croît normalement dans un mélange d'environ 6,5. Une légère acidité semble faire ressortir la pigmentation rouge du feuillage et intensifie le bleu des fleurs.

La mousse de tourbe employée dans les mélanges suggérés possède une acidité naturelle. Il faut donc la neutraliser pour permettre une bonne croissance de la violette. Utilisez de la chaux dolomitique car elle fournit du magnésium et du calcium. Employez 30 g de chaux dans 10 litres de terreau.

Le deuxième amendement consiste à ajouter du superphosphate (0-20-0) dans une préparation de 15 g pour 10 litres de terreau. Cet engrais granuleux se libère progressivement dans le sol et permet de combler les besoins en phosphore pour une période d'environ un an. On a vu précédemment que le phosphore stimulait la floraison.

Il est possible d'ajouter également de l'os moulu (2-11-0). Cet engrais d'origine organique se dégrade lentement dans le sol et joue le même rôle que le superphosphate.

La pasteurisation du terreau

Après avoir mélangé tous les ingrédients et ajouté les amendements requis, il faut maintenant penser à pasteuriser le sol. La pasteurisation est un traitement qui permet d'éliminer les bactéries nuisibles (car il y a de bonnes bactéries), les nématodes, les champignons, les collemboles, les mouches sciaras et les mauvaises herbes qui peuvent exister dans le terreau.

Pour ce faire, on utilise généralement la chaleur, ce qui est plus pratique à la maison que l'emploi de produits chimiques hasardeux. Étendez le terreau sur une plaque et humidifiez-le. Placez-le dans le four et réglez la température à 82°C. Laissez-l'y pendant 30 minutes.

Il ne faut pas dépasser le temps indiqué, car la matière organique pourrait être carbonisée. Si on a employé du compost dans le mélange, il est possible qu'il se développe une forte concentration d'azote sous forme ammoniacale.

Cela est dû au fait que les premières bactéries à se multiplier après la pasteurisation sont celles qui transforment l'azote du sol en azote ammoniacal. Il sera alors préférable d'attendre environ six semaines avant d'utiliser le mélange. À ce moment, les bactéries qui transforment l'azote ammoniacal en azote sous forme de nitrate seront revenus à un niveau normal dans le terreau.

Vous n'aurez pas ce problème si vous n'utilisez pas de compost ou de fumier dans le mélange. Dans ce cas, il est possible d'utiliser le terreau dès qu'il s'est refroidi. Il est préférable de pasteuriser le sol en été, car l'odeur qui se dégage lors de cette opération n'est pas très agréable.

Les contenants

Le type de matériel

Les deux types de contenants les plus populaires sont les pots de grès et les pots en plastique. Chacun a ses préférences quant à l'emploi d'un type par rapport à l'autre. Examinons les caractéristiques qui peuvent guider le choix du type de matériel.

Les pots de grès possèdent une paroi poreuse qui laisse passer l'humidité du terreau. Par conséquent dans ces contenants l'assèchement est jusqu'à trois fois plus rapide que dans les pots en plastique. Les arrosages sont donc d'autant plus fréquents. L'humidité, plus abondante autour du pot, est cependant bénéfique à la violette.

Le terreau qui se dessèche plus rapidement avec ce type de pot conserve un pouvoir d'aération supérieur. Ceci diminue les risque de pourriture racinaire. L'eau qui suinte à travers les parois poreuses entraîne avec elle les sels minéraux qui se déposent sous forme de croûte blanchâtre à l'extérieur. À la longue, des algues vertes peuvent s'y développer. Tout cela cause une détérioration rapide de l'aspect de votre pot.

Le pot de grès est également plus dispendieux que le pot en plastique, en plus d'être plus fragile. On a aussi remarqué que les pétioles de la violette ont tendance à pourrir lorsqu'ils sont appuyés sur le rebord d'un pot de grès.

Les pots en plastique possèdent les caractéristiques inverses à savoir qu'ils sèchent moins vite (attention aux arrosages excessifs), qu'ils ne permettent pas la formation de dépôts de sels et qu'ils sont moins onéreux tout en étant plus résistants.

Le format

Il existe trois formats de contenants vendus sur le marché. Les pots (STD) sont aussi hauts que larges. (Un pot de 10 cm de diamètre mesure 10 cm de hauteur.) Les pots «azalés» (AZ) ont une hauteur équivalente aux trois quarts du diamètre (un pot de 12 cm de diamètre mesure 9 cm de hauteur). Enfin, les pots «pan» ont une hauteur égale à la moitié du diamètre (un pot de 10 cm de diamètre a une hauteur de 5 cm).

Le diamètre dont nous parlons est celui du rebord supérieur du pot. Généralement, le diamètre et le type (STD, AZ, PAN) sont indiqués sous celui-ci. Les violettes africaines ne produisent pas de racines très profondes. Elles préfèrent donc un contenant assez bas de type «azalée».

Il faut éviter d'empoter une violette dans un

contenant trop grand. La floraison est plus abondante lorsque le plant est à l'étroit dans son pot. Si on ne respecte pas cette règle, on notera un développement exagéré des feuilles au détriment des fleurs.

La plupart des violettes pourront être conservées dans un pot de 10 cm de diamètre. Les miniatures croissent bien dans un contenant de 6,5 à 7,5 cm alors que certaines variétés plus volumineuses peuvent être cultivées dans un pot de 13 à 15 cm.

Quelques généralités

Les pots de grès neufs doivent être immergés dans l'eau pendant plusieurs heures pour éviter qu'ils n'assèchent trop brusquement le terreau. Il est toujours préférable de choisir un contenant avec des trous de drainage pour contrer les risques de pourriture.

Si on veut absolument utiliser un pot sans orifice d'écoulement, il faudra en recouvrir le fond d'une couche de gravier ou de charbon de bois. Séparez celle-ci de la terre par un morceau de tissu synthétique. De cette façon, l'excédent d'eau ira se loger à cet endroit. Malgré cela, il faut être très prudent. Il est plus risqué de perdre sa violette à cause d'un excès d'arrosage.

L'empotage

La meilleure période pour rempoter les violettes africaines se situe au printemps. À ce moment, le plant, qui est plus vigoureux, traverse mieux cette épreuve. L'opération peut être effectuée quand le besoin s'en fait sentir lorsqu'on cultive sous un éclairage artificiel.

Avant de procéder à un empotage, il faut vérifier si la plante en a réellement besoin. Dépotez-la et vérifiez l'état du système racinaire. Il est temps de rempoter lorsque le sol est saturé de racines enchevêtrées.

Il faut tout d'abord préparer les contenants. Les vieux pots de grès doivent être stérilisés au four (de la même façon que le terreau) ou à l'eau bouillante. Les pots en plastique, ainsi que les plateaux humidificateurs peuvent être stérilisés par un nettoyage avec une solution formée de une dose d'eau de Javel pour neuf doses d'eau. Rincez bien à l'eau claire après ce traitement.

Pour déterminer le format de contenant re-

quis, suivez la gradation suivante: 65 mm →
75 mm → 100 mm → 130 mm → 150 mm. Placez un
tesson de grès sur le trou de drainage pour éviter
que le nouveau terreau ne s'en échappe, sans toutefois l'obstruer.

Si vous arrosez par le dessus, étendez du gravier dans le fond du pot. Ne suivez pas ce conseil
si vous arrosez par la soucoupe, car cette couche
de drainage nuirait à la montée de l'eau par capillarité.

L'étape suivante consiste à dépoter la violette de son vieux contenant. Cette plante possède
des pétioles cassants et il est difficile de ne pas
en endommager quelques-uns lors de l'opération.
Il est recommandé de laisser sécher la violette
avant l'empotage. Les feuilles seront alors plus
molles et moins vulnérables au bris.

L'empotage

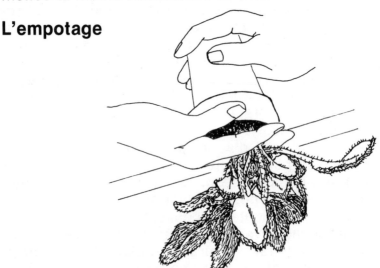

1) Enlevez la violette de son vieux contenant.

2) Ajoutez du terreau frais autour de la motte de racines en évitant un enfouissement de la couronne.

Tournez le pot vers le bas. D'une main retenez la plante avec sa motte entre vos doigts, et de l'autre, donnez quelques coups à la base en frappant légèrement, contre un rebord de table par exemple.

Ajoutez ensuite un peu de terreau dans le fond du nouveau contenant. Vérifiez que le niveau de la terre demeure identique à celui de l'ancien pot afin d'éviter un enfouissement de la couronne. Placez ce niveau à 0,5 à 1 cm sous le rebord du pot afin de faciliter les arrosages.

Finalement, complétez en comblant le vide autour de la motte. Arrosez alors le nouveau terreau et nettoyez le feuillage en vaporisant avec de l'eau tiède.

Il arrive que l'on possède de vieux plants qui ont toujours été dans un contenant atteignant 13 à 15 cm. Très souvent, ils se caractérisent par la formation d'une tige inesthétique. Le rempotage dans un contenant plus grand n'est alors pas souhaitable.

Dans ce cas, dépotez la violette et enlevez une partie du terreau tout autour de la motte, particulièrement vers le bas. Replacez ensuite le plant dans le même contenant de façon à ce que la tige soit recouverte de terre. Ce rajeunissement permet d'améliorer l'apparence du vieux spécimen tout en ajoutant un peu de terreau frais.

L'entretien général

Nettoyer les feuilles

Les feuilles pubescentes de la violette accumulent facilement la poussière. L'eau d'arrosage y laisse également des dépôts de sels minéraux inesthétiques. Il faut donc songer à débarrasser la feuille de toutes ces impuretés.

Deux méthodes sont utilisées pour parvenir à ce but. On peut tout d'abord nettoyer la surface foliaire avec une brosse à poils fins, tel un pinceau d'artiste ou une brosse à disque. Brossez dans le sens des poils en prenant garde à ne pas casser les pétioles.

Un autre moyen consiste à doucher la violette avec un brise-jet ou un vaporisateur. L'eau doit être tiède pour éviter les taches. Laissez sécher le feuillage à l'abri du soleil.

Enlever les parties mortes

Il faut enlever les feuilles jaunies ainsi que

celles qui sont pourries. Cassez-les à la base du plant afin de ne pas laisser sur la couronne des parties de pétioles qui pourraient se dégrader.

Prélevez aussi les fleurs mortes et enlevez le pédoncule lorsque toutes les fleurs qui y sont rattachées ont fané. Lorsqu'on néglige cet entretien, les parties mortes tombent sur le feuillage et l'abîment en pourrissant. Elles sont également une porte d'entrée aux maladies fongiques.

Enlever les drageons

La jeune violette africaine se caractérise par une belle rosette symétrique. Avec le temps, de nombreux drageons se forment tout autour de la couronne. Ceux-ci encombrent rapidement le pot et diminuent la floraison du plant mère.

Il est préférable de les éliminer dès qu'ils apparaissent. On pourra aussi les laisser proliférer dans le but de procéder plus tard à une multiplication par division de couronnes. (Cette méthode sera expliquée plus loin.) Le but ultime est tout de même de réduire le nombre de violettes à un plant par pot.

La sortie à l'extérieur durant l'été

Les violettes africaines peuvent séjourner à l'extérieur durant l'été sous certaines conditions. En premier lieu, la température nocturne doit être supérieure à 16°C. Il faut choisir un endroit à l'abri du vent et des pluies violentes qui pourraient tacher le feuillage.

Cet endroit devra être protégé des rayons de soleil. Certains amateurs placent leurs violettes sous un arbre ou sous un avant-toit. Laissez les plants dans leur pot afin de leur éviter un choc de transplantation à l'automne.

Ce séjour à l'extérieur comporte cependant certains risques. Les insectes peuvent se loger sur le feuillage et dans le sol durant cette période. C'est pourquoi il faudra surveiller vos plants attentivement. Une sécheresse peut également endommager sérieusement les violettes. Tous ces inconvénients expliquent pourquoi peu de gens osent tenter cette expérience.

La multiplication

L'hybridation
de la violette

Généralités

L'amateur qui cultive des violettes africaines depuis un certain temps peut désirer relever le défi assez particulier de créer lui-même de nouvelles variétés. En plus d'éprouver le plaisir d'être l'auteur d'un croisement, cette expérience peut également contribuer à améliorer certaines caractéristiques des variétés déjà existantes.

Très souvent, la personne intéressée à pratiquer une hybridation désire créer par exemple des variétés plus florifères, des fleurs aux teintes recherchées, un feuillage intéressant, une forme symétrique, etc.

Avant d'expliquer le processus lui-même, il est important de bien comprendre le sens de certains termes. Le mot variété est utilisé pour désigner un groupe de plantes possédant certaines caractéristiques communes qui sont légèrement différentes de l'espèce.

Ainsi, *Saintpaulia ionantha* qui a normalement des fleurs simples et violettes a donné naissance à de nombreuses variétés aux fleurs simples ou doubles, roses, blanches, bleues, etc.

Un clone est un plant parfaitement identique au plant mère dont il est issu par la multiplication végétative. Un hybride est le résultat d'un croisement entre deux genres, deux espèces ou deux variétés différentes. Chez la violette africaine, l'hybridation est généralement effectuée entre deux variétés.

Notions de botanique

La violette produit des fleurs bisexuées. Cela signifie que chaque fleur possède des organes mâles et des organes femelles. En scrutant attentivement le centre de la fleur, on découvre de petites masses jaunes regroupées par paires. Ces sacs sont les anthères. Elles contiennent le pollen de la violette. Ce sont donc les parties florales mâles. Les anthères sont attachées à la fleur par de courts filaments.

Le pistil, qui est l'organe floral femelle, apparaît à côté des anthères. Sa structure se compose d'une base renflée qui contient les ovules et d'un tube allongé appelé le style. À l'extrémité de celui-ci se situe un réceptable nommé stigmate.

En observant bien une fleur de violette africaine, on constate que le pistil projette le stigmate loin des anthères. Cette configuration suggère que la pollinisation croisée est favorisée, c'est-à-dire qu'elle a lieu entre deux plants différents plutôt que sur le même plant.

Le stigmate ne peut d'ailleurs recevoir le pollen que durant une courte période, soit de quelques jours après l'ouverture de la fleur jusqu'à la fin de la floraison. Ce mécanisme tend à diminuer le risque d'une autopollinisation.

Structure de la fleur

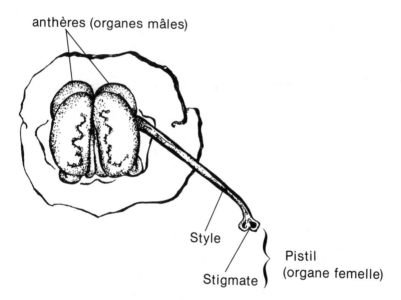

anthères (organes mâles)

Style

Stigmate

Pistil
(organe femelle)

Le choix des parents

Le sujet donneur qui fournit le pollen est le plant mâle. Celui qui reçoit le pollen et qui produit la semence est le plant femelle. Il est évident que les termes mâle et femelle ne se rapportent qu'à l'utilisation que l'on fait du plant, et non à son sexe, puisque les fleurs sont bisexuées.

Le choix du parent mâle et du parent femelle doit se faire suivant certaines règles pour réussir la fécondation et diriger l'opération vers le but souhaité.

Il faut tout d'abord s'assurer que le croisement envisagé est au moins possible. Deux points majeurs sont à surveiller, soit la longueur du style et la taille végétative des plants sélectionnés.

Dans le cas où les deux variétés se caractérisent par des styles de longueurs différentes, il faut toujours prélever le pollen sur le plant au style long pour le déposer sur le stigmate du plant au style court. De cette façon, la distance à parcourir dans le pistil femelle ne sera pas un obstacle à la fécondation.

Lorsque les sujets à croiser sont de tailles différentes (ex.: une violette miniature avec une violette régulière), il faudra choisir celui qui a la plus grande dimension comme plant femelle. Ainsi, les graines ne risquent pas de se développer dans un ovaire trop petit.

A ce stade-ci, il devient intéressant de connaître quelques lois qui influencent les résultats. Chez la violette, les fleurs de teintes foncées telles que le bleu ont un caractère dominant. Les couleurs pâles telles que le blanc et le rose sont un trait récessif.

Si on désire obtenir une variété blanche ou rose, il est préférable de sélectionner des parents dont les couleurs se rapprochent de ces teintes. Un parent bleu risque d'empêcher l'apparition de blanc ou de rose chez beaucoup de descendants.

Enfin, bien que le croisement de variétés aux

fleurs doubles augmente les chances d'obtenir des plants possédant cette caractéristique, il est recommandé de choisir un des deux parents avec des fleurs simples. Cela évite le risque de produire des plants aux fleurs trop lourdes.

Une dernière remarque pertinente concerne les variétés au feuillage panaché. Si on désire transmettre cette caractéristique, il faudra que le plant femelle soit panaché, peu importe que le plant mâle le soit ou non.

La méthode de pollinisation

Les règles de sélection des parents étant respectées, il faut tout de même posséder deux plants qui fleurissent en même temps. La première opération consiste à enlever les anthères du plant femelle avant que son stigmate ne soit mature. Cela permet d'éviter une autopollinisation.

L'étape suivante consiste à entailler les anthères du plant mâle à l'aide d'un instrument tranchant tel qu'une lame de rasoir. Il faut recueillir le pollen qui s'en échappe sur une feuille de papier. Avant d'effectuer la pollinisation, il faut vérifier que le stigmate du parent femelle soit collant, ce qui indique qu'il est prêt à recevoir le pollen.

Si c'est le cas, déposez ce dernier sur sa surface à l'aide d'un petit pinceau ou même avec les doigts. Après une période de 7 à 14 jours, l'ovaire qui est à la base du pistil va se mettre à enfler. C'est le signe que la fécondation a eu lieu.

Progressivement, l'ovaire se transformera en une capsule qui renferme la semence. Celle-ci met de six à neuf mois avant de mûrir. Durant ce stade de maturation, conservez le plant femelle dans une atmosphère plus sèche et espacez les arrosages.

Après cette période, prélevez les capsules et ouvrez-les pour recueillir la semence. Celle-ci est fine comme de la poussière. Il est préférable de la laisser sécher de quatre à six semaines avant de procéder au semis. Entreposez les graines dans un endroit frais de 16 à 18°C.

Toutes ces opérations s'échelonnent sur une période assez longue. Il est donc facile d'oublier l'origine du croisement. Identifiez les caractéristiques du plant mâle et du plant femelle et inscrivez ainsi le nom des variétés sur une étiquette que vous collerez sur le pot du plant femelle: nom du plant femelle et nom du plant mâle.

Pollinisation

1) Enlevez les anthères du plant femelle.

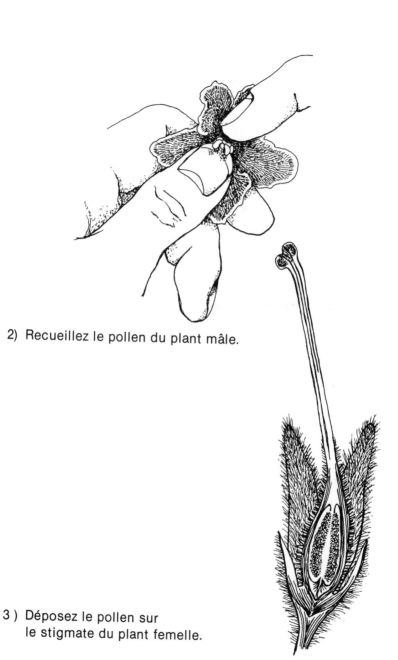

2) Recueillez le pollen du plant mâle.

3) Déposez le pollen sur
le stigmate du plant femelle.

4) Les capsules sont mûres après six à neuf mois.

Quand on croise des variétés ensemble, le résultat est assez imprévisible. Chaque graine donnera un plant ayant ses caractéristiques propres. Il est intéressant de constater la grande variété des descendants issus du même couple de parents.

Tous ces plants ne méritent pas d'être conservés. Ne préservez que ceux qui possèdent des traits vraiment intéressants. Multipliez les élus de façon végétative. Il est possible que leurs caractéristiques ne soient pas stables. On considère qu'elles le sont lorsqu'elles réapparaissent de façon constante après au moins deux générations de boutures.

Les semis

Le terreau utilisé pour le semis doit avoir une bonne rétention d'eau. Il doit être léger et permettre un drainage efficace. Divers mélanges sont employés tels que une moitié de vermiculite pour une moitié de mousse de tourbe. Le terreau synthétique est vendu prêt à l'usage et il possède toutes les qualités requises.

Les jeunes semis sont sensibles à l'attaque de champignons microscopiques qui causent leur destruction. La pasteurisation du terreau est une bonne mesure de prévention contre ces agents pathogènes.

Le contenant idéal doit être bas pour permettre un bon égouttement. Il existe des caissettes de semis vendues sur le marché qui répondent bien à cet usage. Les pots Pan peuvent également être employés. Tous ces récipients doivent être stérilisés.

Étendre d'abord le terreau dans le contenant. Il est important que le mélange soit uniforme. Si vous notez la formation d'agrégats, tamisez-le. Ensuite, mouillez bien le sol avec un brise-jet ou un vaporisateur afin de conserver une surface unie.

La semence de la violette est très fine. Placez-la sur une feuille de papier pliée de façon à ne laisser tomber qu'une petite quantité de graines à la fois sur le terreau. Une répartition uniforme facilite la transplantation ultérieure.

Il ne faut pas recouvrir la semence de terreau, car elle a besoin de la lumière pour germer. Un autre facteur de germination essentiel est le maintien d'une humidité constante. Pour y parvenir, placez une feuille de plastique ou une plaque de verre sur le contenant.

Choisissez un endroit bien éclairé sans rayons de soleil directs. La température ambiante doit être d'environ 21 à 24°C. Une chaleur de fond accélère la levée des jeunes plants. Celle-ci débute 12 à 14 jours après le semis et se poursuit pendant près d'un mois.

Les premières feuilles à apparaître sont les cotylédons suivis des feuilles arrondies typiques de la violette. Lorsqu'il y a de trois à quatre feuilles et que les plants ont environ 1 cm de hauteur, il faut songer à les transplanter.

Cette opération survient normalement de quatre à six semaines après la germination. Il faut prélever chaque plantule très délicatement afin de ne pas endommager les racines. Espacez chaque petit plant de 5 cm dans une caissette ou plantez-les isolément dans des contenants de 5 cm de diamètre.

Transportez-les devant une fenêtre au nord. Au bout de deux mois, les jeunes violettes ont un développement bien amorcé. Il faudra alors les amener dans un endroit où elles recevront un peu de soleil, telle une fenêtre à l'est.

Les premières fleurs apparaîtront après six à neuf mois. Elles sont généralement simples même chez les variétés doubles. La fertilisation des jeunes plants avec une solution diluée d'engrais peut commencer dès que les feuilles émergent dans la caissette de germination.

La bouture de feuille

La violette africaine se multiplie aisément par la bouture de feuille. Un seul plant peut donner naissance à de nombreuses autres plantes, ce qui est très intéressant lorsqu'on possède un spécimen rare et convoité.

La meilleure période pour effectuer cette opération se situe au printemps. Sélectionnez une feuille ferme, mature et saine. Les feuilles âgées à l'extérieur de la rosette et les toutes nouvelles feuilles produisent moins de rejets et mettent plus de temps à enraciner.

Prélevez la feuille choisie et sectionnez le pétiole à 2 ou 3 cm du limbe avec un instrument tranchant, telle une lame de rasoir. Il est important que l'outil utilisé soit stérilisé. La coupe doit être nette car des tissus écrasés ou broyés (avec une paire de ciseaux par exemple) favorisent l'établissement de la pourriture.

Placez la feuille de côté pendant quelque 30 minutes afin de laisser les tissus se cicatriser.

Bouture de feuille

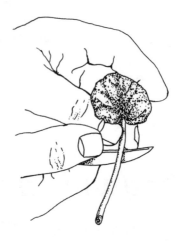

1) Sectionnez le pétiole à 2-3 cm du limbe.

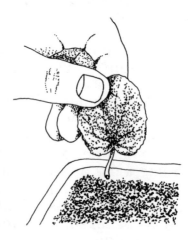

2) Enfoncez la bouture dans un mélange d'enracinement humide.

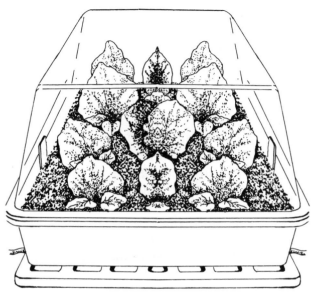

3) Recouvrez la caissette de multiplication d'un abri de plastique ou de verre.

4) Empotez les plantules lorsqu'elles mesurent de 5-8 cm.

Cela crée une barrière supplémentaire contre les agents pathogènes du sol. Certains amateurs trempent ensuite l'extrémité de la bouture dans de la poudre d'hormone.

De façon générale, ces hormones accélèrent l'enracinement et favorisent l'établissement d'un système racinaire développé chez les végétaux. Différentes concentrations sont disponibles selon le type de bouture effectuée. Ainsi, les boutures tendres comme celles de la violette africaine requièrent un concentration faible d'auxine, par exemple de 0,1 p. 100.

Il y a une certaine controverse sur le besoin réel d'utiliser une poudre d'enracinement sur les boutures de feuille de la violette africaine. Certaines recherches ont montré que même si cette poudre a tendance à favoriser la formation d'un grand nombre de plantules, celles-ci sont de qualité inférieure.

Sans hormones, la bouture produit moins de plantules, ce qui augmente les chances de survie de chacune d'elles ainsi que leur qualité. Vous pouvez tout de même utiliser une poudre d'enracinement. Mais il est préférable dans ce cas de n'y tremper que légèrement l'extrémité de la bouture.

L'étape suivante constitue à enfoncer le pétiole dans un petit contenant (environ 5 cm) rempli de mélange à enracinement humide. Incurvez-le de façon à ce que la feuille soit à 45° du sol afin de faciliter l'émergence des plantules à partir de la base du pétiole.

Divers milieux d'enracinement peuvent être utilisés à cette fin. Certains amateurs mélangent du sable et de la mousse de tourbe. D'autres emploient de la vermiculite. Cette dernière a l'avantage de retenir l'humidité tout en permettant une bonne aération.

Les facteurs qui favorisent l'enracinement sont la chaleur de fond, l'humidité constante du mélange et de l'air ainsi qu'une lumière vive sans rayons de soleil directs. Pour y parvenir, recouvrez le contenant d'un abri transparent de plastique ou de verre. La feuille ne doit pas toucher aux parois sans quoi elle risque de pourrir.

S'il se forme de la condensation, enlevez l'abri pour ramener l'humidité à un niveau plus bas, puis replacez-le sur le contenant. Le terreau conserve bien l'humidité avec ce système, mais vérifiez quand même de temps à autre son besoin en eau.

Le temps nécessaire à l'enracinement dépend de la variété bouturée, de la période de l'année ainsi que de la maturité des feuilles. Il commence généralement au bout de quatre à six semaines. À ce moment, il se forme de une à cinq plantules à la base du pétiole pour chaque bouture de feuille.

Lorsque les plantules mesurent de 5 à 8 cm de hauteur, déposez la bouture. Séparez les plantules les uns des autres. Transplantez chacune d'elles dans un petit contenant de 5 cm rempli de terreau tout usage. La feuille mère peut être récupérée et bouturée à nouveau.

Les nouveaux plants sont sensibles à la pourriture. Il est préférable de les laisser flétrir légèrement entre chaque arrosage jusqu'à ce qu'ils soient bien pris. La floraison a généralement lieu entre huit et neuf mois après le bouturage.

Il existe une variante de cette méthode qui consiste à faire enraciner les boutures dans un verre d'eau. Déposez au fond de ce dernier quelques grains de charbon de bois pour éviter que l'eau ne se corrompe. Posez du papier ciré sur le dessus du contenant et fixez-le à l'aide d'un élastique.

Percez le papier ciré de quelques trous pour y insérer les boutures. Si l'une d'entre elles venait à pourrir, il faudrait renouveler l'eau. Bien qu'elle semble plus simple, cette méthode donne de moins bons résultats. Les risques de pourriture sont plus grands. De plus, les racines formées ont tendance à s'agglutiner quand on procède à la transplantation. Cette opération représente un choc plus grand pour les plantules que lorsque celles-ci proviennent d'un mélange à enracinement régulier.

La séparation des rejets

Beaucoup de variétés de violettes africaines produisent des rejets autour de la couronne. Comme il a été dit dans la section portant sur l'entretien général, ceux-ci diminuent la floraison du plant mère et nuisent à son apparence. Ce dernier point est tout de même discutable puisque certains amateurs préfèrent les violettes à couronnes multiples.

Les rejets doivent être séparés à l'aide d'un instrument tranchant et déposés sur un mélange à enracinement. Puisqu'ils n'ont pas de racines, il faudra les fixer à l'aide d'un cure-dent plié en V. Augmentez l'humidité ambiante avec un abri transparent. Les conditions favorisant l'enracinement sont les mêmes que pour la bouture de feuille.

La division des couronnes

Si on laisse les rejets se développer sur le plant mère, on obtiendra assez rapidement un spécimen à couronnes multiples. Ces dernières pourront être divisées pour donner autant de nouveaux sujets.

Le meilleur moment pour effectuer cette opération se situe au printemps ou après une période de repos, lorsque le plant ne possède pas de fleurs. Laissez d'abord sécher le spécimen à diviser. Cela facilite la séparation des racines et limite les bris de pétiole.

Contrairement aux rejets, les couronnes possèdent un petit système racinaire. Dépotez le plant mère et dégagez chaque couronne délicatement. Empotez-les ensuite dans un petit contenant de 5 cm rempli de terreau tout usage.

Il est préférable de garder le terreau des nouveaux plants plutôt sec afin de cicatriser les blessures et de réduire les risques de pourriture. Un des avantages de la division est qu'elle permet d'obtenir des plants en fleurs plus tôt qu'avec les autres méthodes de multiplication.

Les problèmes possibles

Les ravageurs

Prévention

Un plant de violette africaine bien entretenu est moins prédisposé à l'invasion de ravageurs. D'où l'importance de respecter les principes de culture quant à l'arrosage, la lumière, la fertilisation, l'humidité et la température.

Les ravageurs peuvent faire leur apparition de deux façons. Le plus souvent, ils sont introduits par le biais d'une nouvelle plante infestée. Inspectez soigneusement les violettes avant de les acheter. Faites de même pour toute autre plante devant être placée près de celles-ci.

La plupart des ravageurs se logent sous le feuillage. Quelques-uns prospèrent dans le sol. Procurez-vous vos plantes dans des endroits fiables où l'on est attentif à ce genre de problèmes. Malgré cela, il est possible que la quantité de ravageurs présents soit trop petite pour permettre leur détection.

C'est pour cette raison qu'il est absolument

nécessaire de laisser la nouvelle plante à l'écart des autres pendant huit semaines. Si aucun problème ne survient durant cette quarantaine, alors vous pouvez la rapprocher des autres.

Les amateurs qui sortent leurs violettes à l'extérieur durant l'été augmentent les risques d'introduire des ravageurs dans la maison. Inspectez-les donc soigneusement avant de les rentrer et isolez-les par mesure de sécurité comme nous venons de l'expliquer.

Enfin, pour apprendre comment traiter chaque ravageur, il faut connaître son comportement et être capable de le reconnaître. On remarque que la plupart d'entre eux prospèrent sur certaines plantes plutôt que sur d'autres. Celles-ci sont appelées «plante-hôte».

Les principaux ravageurs parasites des violettes

Mites-araignées (tétranyques)

Les mites ne sont pas des insectes mais des acariens. Elles possèdent quatre paires de pattes au lieu de trois paires comme les insectes. Il en existe deux types principaux qui parasitent la violette africaine, soit la mite du cyclamen et la mite à deux points.

La mite du cyclamen n'est pas visible à l'oeil nu, car elle mesure à peine 0,25 mm. On l'identifie donc par les dégâts qu'elle cause à la plante. Une violette infestée verra ses jeunes feuilles, au centre de la couronne, malformés, rigides et plus pubescentes qu'à l'ordinaire. De plus la croissance générale de la plante est plus lente et la coloration plus pâle.

Le symptôme qui distingue cette mite de la mite à deux points est que la bordure des feuilles s'enroule vers le haut. Enfin, les pédoncules floraux sont incurvés et les fleurs naissent petites, malformées et décolorées.

La mite du cyclamen se multiplie rapidement et dans des conditions propices, passe du stade d'oeuf à celui d'adulte en deux semaines. Elle prospère davantage par des températures fraîches (16°C) et humides. C'est pourquoi on risque davantage de la voir apparaître en automne ou en hiver dans une pièce peu chauffée.

La mite à deux points mesure 0,5 mm. Il faut un oeil exercé pour la distinguer. Elle se retrouve en plus grand nombre sur le revers des feuilles. Les feuilles et les fleurs se tordent, ce qui peut entraîner la mort du plant si rien n'est fait pour les éliminer.

Mites à deux points

Contrairement à la mite du cyclamen, elle provoque une courbure de la bordure foliaire vers le bas. De plus, elle préfère des températures chaudes et sèches. C'est pourquoi on la retrouve davantage durant un été sec, ou dans une pièce surchauffée et sèche en hiver. Elle passe du stade d'oeuf à celui d'adulte en 10 jours à 26°C et en 20 jours à 21°C.

Dans les deux cas, les mites causent des dommages à la plante en perçant les tissus pour sucer la sève, ce qui l'affaiblit considérablement. Il se forme également une petite toile fine qui la recouvre.

Il est difficile de se débarrasser des mites, car elles développent une résistance aux insecticides. De plus ces derniers n'arrivent pas à détruire les oeufs. C'est pourquoi il est plus simple de prévenir leur invasion en isolant tout nouveau plant pendant six à huit semaines.

Si malgré toutes vos précautions ces parasites parviennent à se développer on peut tenter un traitement, bien qu'il soit souvent plus simple de jeter les plants atteints. Dès que l'on découvre un plant infesté, il faut l'isoler de autres. Enlevez les feuilles très déformées. Lavez vos mains après avoir touché la plante pour éviter de transporter les mites sur les autres violettes. Faites bien attention à la contamination par les vêtements, l'arrosoir, etc.

Un vieux truc consiste à enlever la couche supérieure du sol, puis à immerger complètement la plante dans de l'eau chaude à 43°C pendant 15 minutes. Il est important de maintenir l'eau à cette température pendant toute la durée du traitement en ajoutant de l'eau chaude au besoin.

Il peut être fastidieux de traiter toute une collection de violettes de cette façon. Ce n'est pas non plus une solution miracle et il peut y avoir des oeufs qui demeurent sur la plante. On peut également tenter un traitement avec des pesticides. Puisque la mite est un acarien et non un insecte, il est préférable d'utiliser un acaricide qui sera plus efficace, tel le kelthane.

Faites au moins deux vaporisations à sept jours d'intervalle et surveillez fréquemment les plants atteints. Attendez au moins deux mois avant de ramener le plant traité dans votre collection, pour vous assurer qu'il n'y a plus de mites. Il est aussi possible d'immerger la violette dans une solution de kelthane.

Si vous remarquez que la mite a développé une résistance au kelthane, donc qu'elle continue de prospérer malgré les traitements, employez du malathion. Utilisez-le pour un certain temps, puis revenez au kelthane.

Vous pouvez également tenter de bouturer une feuille de l'extérieur de la rosette. (Celles-ci ont moins de chance d'être infestées.) Trempez-la dans une solution de kelthane et faites-en la multiplication. Assurez-vous qu'elle ne présente plus de symptômes d'infestation, et débarrassez-vous ensuite du plant mère.

Cochenille farineuse

La cochenille est un insecte au corps ovale et mou de 5 à 8 mm. Il est recouvert d'un duvet poudreux et cireux de couleur blanchâtre. Il en existe plusieurs espèces, mais la plus fréquente pond ses oeufs en petits tas cotonneux.

Cet insecte semble fuir la lumière. On le retrouve davantage sur le revers des feuilles, à la jonction des pétioles et des tiges, et dans le coeur de la couronne. Il se nourrit en suçant la sève dans laquelle il injecte une toxine.

La plante atteinte subit un affaiblissement général et vous remarquerez l'apparition d'un enduit collant sécrété par la cochenille. Cet insecte, qui se développe lentement, passe du stade d'oeuf à celui d'adulte en sept à huit semaines.

Enlevez les adultes et les masses d'oeufs visibles à l'aide d'un morceau de ouate imbibé d'alcool à 90° (alcool à friction). Répétez le traitement jusqu'à leur disparition. Les violettes à couronnes multiples seront plus longues à traiter, car elles possèdent plus d'interstices susceptibles de cacher des cochenilles. Il est préférable de vaporiser le plant avec de l'eau après un traitement à l'alcool, car cela peut dessécher les tissus charnus de la violette.

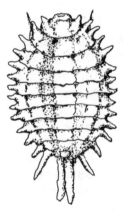

Cochenille farineuse

Il est recommandé de vaporiser la plante atteinte, en plus, avec un insecticide tel que la malathion. Le savon insecticide est également très efficace contre la cochenille et sécuritaire à l'emploi. Il faudra surveiller la réapparition éventuelle de ce parasite durant une longue période à cause de son cycle lent.

Il existe aussi certaines espèces qui vivent dans le sol. Vous pouvez les détecter en dépotant votre violette. Elles mesurent 1,5 mm et laissent des traces blanchâtres sur la paroi du pot. Le traitement consiste à arroser le sol avec une solution de malathion. Nettoyez les pots avant de les réutiliser.

Thrips

Les thrips sont de petits insectes mesurant 1 mm difficiles à voir à l'oeil nu. Ils possèdent deux paires d'ailes frangées et parasitent davantage les plants en fleurs.

Ils grugent les parois des végétaux à l'aide de leurs pièces buccales. Cela provoque des marques argentées et décolorées sur les feuilles ainsi

Thrips

que des stries blanchâtres sur les fleurs malformées. Les thrips laissent de petits dépôts noirâtres à la surface du plant.

Ces insectes légers entrent dans la maison transportés par les courants d'air durant l'été. Cet insecte arrive à maturité en deux semaines. Il est facile de se débarrasser de ces insectes en traitant le plant atteint à la roténone ou au malathion.

Pucerons

Les pucerons sont des insectes au corps mou mesurant 3 mm. Il en existe plusieurs espèces de différentes couleurs. Ils vivent en colonies et apparaissent surtout au printemps ou en été.

Ce sont des suceurs qui se multiplient en plus grand nombre sur les boutons de fleur et les jeunes feuilles. Les plants attaqués ont de nouvelles feuilles tordues et des fleurs déformées. Ces insectes y déposent une substance sucrée et collante appelée miellat.

Puceron

Les pucerons se reproduisent rapidement et passent du stade de l'oeuf à celui d'adulte en 7 à

14 jours. Il est facile de s'en débarrasser en vaporisant le plant au moins trois fois à six jours d'intervalle. Utilisez du malathion, du pyrèthre ou de la roténone.

Collemboles

Les collemboles sont de petits insectes blanchâtres de moins de 5 mm qui sautent à la surface du sol grâce à un appendice en forme de queue. On les remarque lorsqu'on procède à un arrosage, ou en examinant la soucoupe qui recueille l'eau.

Ces insectes ne causent pas de dommage à la plante. Ils se nourrissent de matière organique en décomposition. Leur présence en grand nombre est généralement reliée à des arrosages trop fréquents ou à un terreau trop riche.

Espacez davantage les arrosages, pasteurisez le sol surtout s'il est riche en matière organique et appliquez un insecticide tel que le diazinon en poudre à la surface du sol.

Les mouches sciaras

Les mouches sciaras sont de petits insectes noirs et ailés de 3 mm. Elles se mettent à voleter autour d'une plante infestée dès qu'on agite brusquement celle-ci.

Cet insecte ne s'alimente pas à l'état adulte, mais la femelle pond les oeufs à la surface du sol. Ceux-ci donnent naissance à de petits asticots qui se nourrissent de la matière organique en décomposition. Ils peuvent cependant attaquer les racines s'ils sont très nombreux et, à ce moment, affaiblissent le plant.

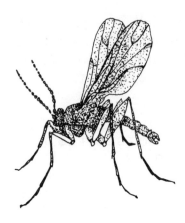

Mouche sciara

Les mouches sciaras répondront au même traitement que le collembole. Laissez sécher le sol entre les arrosages, pasteurisez le terreau et appliquez du diazinon en poudre. Un autre traitement consiste à arroser le sol avec une solution de malathion une fois par semaine pendant un mois. Continuez jusqu'à ce qu'il n'y ait plus d'adultes visibles pour éviter la réinfestation.

Nématodes

Les nématodes sont des vers microscopiques qui vivent dans le sol. Le genre que l'on retrouve le plus souvent sur la violette est le *meloidogyne*. La larve pénètre dans une racine où elle provoque un agrandissement des cellules par la salive qu'elle sécrète. Celles-ci remplissent alors une fonction nutritive pour le parasite.

Une violette infestée a l'air faible. Ses feuilles sont pâles et ternes, et les fleurs ne se rendent pas à maturité. Les racines montrent des renflements caractéristiques. La plante est alors plus prédisposée aux autres insectes et maladies.

Il n'y a pas de traitement connu. Il faut prévenir en pasteurisant le terreau et en se procurant des plants sains. Jetez toutes violettes infestées, car les nématodes peuvent se répandre par les plateaux d'humidification et par le terreau contaminé.

Les maladies

Prévention

Les maladies apparaissent beaucoup plus fréquemment sur des plants mal entretenus. Respecter les principes culturaux suffit à éloigner la plupart de ces problèmes.

Examinez les nouveaux plants et n'achetez pas une violette qui a des taches suspectes ou des parties pourries. À la maison, prenez soin d'enlever les fleurs mortes et les feuilles jaunes, car les maladies s'attaquent d'abord à ces parties.

Stérilisez les outils et les pots dans une solution composée de une partie d'eau de Javel dans neuf parties d'eau. Le terreau doit également toujours être pasteurisé.

Les principales
maladies de la violette

Pourriture des racines
et de la couronne

Deux principaux champignons microscopiques sont à l'origine de cette pourriture: le *phytophtora* et le *pythium*. La violette atteinte montre tout d'abord des signes d'affaiblissement comme si elle manquait d'eau. Elle se flétrit et finit par s'affaisser tout à fait. On remarque également un brunissement de ses racines.

Cette pourriture se manifeste souvent lorsqu'on arrose de façon excessive ou que le mélange de terreau a un mauvais drainage. Elle survient également si on enterre le coeur de la violette lors d'un empotage ou quand on laisse séjourner de l'eau à cet endroit.

Il est préférable de prendre des précautions plutôt que de traiter ce problème. Utilisez un mélange de terreau aéré et pasteurisé, évitez les excès d'arrosage, laissez sécher davantage le sol d'une violette nouvellement empotée ou divisée et placez le collet de la plante au niveau du sol.

Si malgré tout une pourriture se déclare, il est plus simple de se débarrasser du plant atteint. Certains tentent tout de même de prélever des parties encore saines afin de les bouturer.

Moisissure grise

La moisissure grise est causée par un champignon microscopique qui est le *bothrytis*. Une moisissure grise et légère envahit les parties affaiblies de la plante et entraîne la décomposition des tissus.

Cette maladie se développe plus rapidement lorsque l'humidité est forte. On la contrôle en améliorant la ventilation autour des plants, en évitant de mouiller le feuillage et en éliminant toutes parties faibles ou malades.

Vaporisez la violette avec un fongicide tel que le benomyl. On a remarqué que les plants infestés de mites étaient plus sujets que les autres à la moisissure grise.

Mildiou

Le mildiou est une maladie fongique qui se remarque par l'apparition de taches poudreuses et blanchâtres sur diverses parties de la plante et en particulier sur les fleurs.

Augmentez l'aération entre les plants et vaporisez ceux-ci avec un fongicide à base de soufre ou avec du benomyl.

Les troubles physiologiques

Taches foliaires

Les taches décolorées sur le feuillage sont causées par un arrosage à l'eau froide. Elles y demeurent en permanence. Évitez d'en créer de nouvelles en utilisant de l'eau tiède.

Si les taches sont brunes, il est probable que le plant ait été placé au soleil alors que le feuillage était mouillé. Ce dégât est également définitif. C'est pourquoi vous devez veiller à l'éviter.

Pourriture du pétiole

Les pétioles en contact avec le rebord du pot ou avec le sol peuvent développer une lésion de couleur rouille. Peu après, ceux-ci s'affaissent complètement, ce qui entraîne la mort de la feuille.

Des recherches ont démontré que ce problème est causé par un contact avec des sels minéraux trop concentrés. Ces sels s'accumulent souvent sur le bord du pot, particulièrement lorsque ce dernier est en grès, et à la surface du sol.

Pour prévenir ce problème, lessivez le terreau régulièrement. Évitez d'arroser exclusivement par la soucoupe, car cela fait remonter les sels à la surface par capillarité. Nettoyez les dépôts minéraux qui se forment sur les rebords du contenant.

Un vieux truc consiste à tremper la bordure du pot dans de la paraffine. Certains la recouvrent d'une bande de papier d'aluminium. Ces deux méthodes empêchent le contact du pétiole avec les sels.

Si la pourriture est déjà amorcée sur un pétiole, il est recommandé de le couper sous la lésion. Veillez ensuite à régler le problème de salinité.

Les pesticides

Les pesticides sont des produits utilisés pour détruire les insectes (insecticides), les acariens (miticide), les champignons (fongicide), etc.

Ces produits agissent de deux façons. La première est dite de contact, c'est-à-dire que le pesticide demeure à la surface de la plante où il détruit l'agent pathogène. La deuxième est appelée systémique, ce qui signifie que le produit pénètre dans la plante et se propage par la sève. Le contrôle est donc plus complet.

Le malathion, le diazinon, le pyrèthre, la roténone, le kelthane, le soufre et le savon insecticide sont des pesticides de contact. Le benomyl est un fongicide systémique.

La plupart des pesticides sont des liquides ou des produits concentrés qu'il faut diluer avant de vaporiser. Pour augmenter la surface couverte par un pesticide, ajoutez quelques gouttes de détergent dans la solution diluée.

Les pesticides sont généralement des produits toxiques qu'il faut manipuler avec précaution. Il peuvent être absorbés accidentellement par les voies respiratoires, buccales ou cutanées. Entreposez-les dans un endroit frais et aéré hors de la portée des enfants ou des animaux.

Laissez toujours les produits dans leur contenant d'origine et lisez attentivement leur mode d'emploi avant de les utiliser. Évitez tout contact avec la peau lors de la vaporisation et ne respirez pas les émanations.

Il est plus prudent de vaporiser à l'extérieur de la maison lorsque cela est possible. Lavez-vous soigneusement après une application. En cas de problèmes, contactez un centre antipoison.

Pour clore ce chapitre portant sur les maladies et les ravageurs rencontrés, il serait juste d'ajouter que ces problèmes ne surviennent qu'occasionnellement. Ils sont souvent le résultat direct d'une négligence et l'amateur soigneux n'a pas à s'inquiéter outre mesure.

Une bonne prévention est la plus sûre garantie et tout ceci ne doit pas nous empêcher de cultiver cette adorable plante qu'est la violette africaine.

Le départ en vacances

Le départ en vacances représente bien souvent un casse-tête pour l'amateur de plantes. Personne ne veut voir une année de petits soins réduit à néant en quelques semaines d'absence. Évidemment, le moyen le plus sûr consiste à confier ses violettes à un ami pour la période des vacances.

Si la chose n'est pas possible, il faut essayer de contrôler l'environnement des plantes de façon à réduire leur consommation d'eau. À cette fin, placez vos violettes devant une fenêtre au nord, augmentez l'humidité autour d'elles en les regroupant et réduisez la température ambiante. Pendant l'été, il est préférable de transporter les plantes dans une pièce fraîche (exposée au nord par exemple).

Nous avons vu dans le chapitre sur l'arrosage qu'il existe un système où la violette absorbe l'eau par capillarité à l'aide d'une mèche placée dans le trou de drainage. Ce système est idéal car la violette n'a pas besoin d'arrosage supplémentaire aussi longtemps qu'il y a de l'eau dans le réservoir.

Déterminez donc la quantité d'eau nécessaire pour répondre aux besoins de la violette pendant votre absence. Utilisez par la suite un réservoir qui contient au minimum cette quantité; vous pourrez ainsi partir en toute quiétude.

Si vous possédez un grand nombre de violettes, il peut être fastidieux d'installer un système de mèche dans chaque pot. La méthode du bain représente alors une solution intéressante.

Étalez au fond de la baignoire plusieurs feuilles de papier journal afin de conserver l'humidité. Emplissez la bain avec environ 10 à 15 cm d'eau. Placez ensuite des pots de grès à l'envers ou des briques poreuses.

Déposez chaque pot de violette sur ces supports sans toutefois que sa base trempe directement dans l'eau. Celle-ci monte par capillarité jusqu'à la plante et permet de répondre à ses besoins en arrosage pendant environ deux à trois semaines.

Table des matières

À PARAÎTRE

J'aime les rocailles
J'aime les roses
J'aime les poinsettias
J'aime les azalées
J'aime les cyclamens

Ouvrages parus chez les éditeurs du groupe Sogides

* Pour l'Amérique du Nord seulement   ** Pour l'Europe seulement
Sans * pour l'Europe et l'Amérique du Nord

ANIMAUX

* **Art du dressage, L'**, Chartier Gilles
Bien nourrir son chat, D'Orangeville Christian
Cheval, Le, Leblanc Michel
Chien dans votre vie, Le, Margolis Matthew et Swan Marguerite
Éducation du chien de 0 à 6 mois, L', DeBuyser Dr Colette et Dr Dehasse Joël
Encyclopédie des oiseaux, Godfrey W. Earl
Guide de l'oiseau de compagnie, Le, Dr R. Dean Axelson
Mammifères de mon pays, Duchesnay St-Denis J. et Dumais Rolland
Mon chat, le soigner, le guérir, D'Orangeville Christian
Observations sur les mammifères, Provencher Paul
Papillons du Québec, Veilleux Christian et Prévost Bernard

Petite ferme, T.1, Les animaux, Trait Jean-Claude
Vous et vos poissons d'aquarium, Ganiel Sonia
Vous et votre berger allemand, Eylat Martin
Vous et votre boxer, Herriot Sylvain
Vous et votre caniche, Shira Sav
Vous et votre chat de gouttière, Gadi Sol
Vous et votre chow-chow, Pierre Boistel
Vous et votre collie, Ethier Léon
Vous et votre doberman, Denis Paula
Vous et votre fox-terrier, Eylat Martin
Vous et votre husky, Eylat Martin
Vous et vos oiseaux de compagnie, Huard-Viau Jacqueline
Vous et votre schnauzer, Eylat Martin
Vous et votre setter anglais, Eylat Martin
Vous et votre siamois, Eylat Odette
Vous et votre yorkshire, Larochelle Sandra

ARTISANAT/ARTS MÉNAGERS

Appareils électro-ménagers, Prentice-Hall of Canada
Art du pliage du papier, Harbin Robert
Artisanat québécois, T.1, Simard Cyril
Artisanat québécois, T.2, Simard Cyril
Artisanat québécois, T.3, Simard Cyril
Artisanat québécois, T.4, Simard Cyril, Bouchard Jean-Louis
Bon Fignolage, Le, Arvisais Dolorès A.
Coffret artisanal, Simard Cyril
Construire des cabanes d'oiseaux, Dion André
Construire sa maison en bois rustique, Mann D. et Skinulis R.
Crochet Jacquard, Le, Thérien Brigitte
Cuir, Le, Saint-Hilaire Louis et Vogt Walter
Dentelle, T. 1, La, De Seve Andrée-Anne
Dentelle, T.2, La, De Seve Andrée-Anne
Dessiner et aménager son terrain, Prentice-hall of Canada
Encyclopédie de la maison québécoise, Lessard Michel

Encyclopédie des antiquités, Lessard Michel
Entretien et réparation de la maison, Prentice-Hall of Canada
Guide du chauffage au bois, Flager Gordon
J'apprends à dessiner, Nassh Joanna
Je décore avec des fleurs, Bassili Mimi
J'isole mieux, Eakes Jon
Mécanique de mon auto, La, Time-Life Book
Outils manuels, Les, Prentice-Hall of Canada
Petits appareils électriques, Prentice-Hall of Canada
Piscines, barbecues et patio
Taxidermie, La, Labrie Jean
Terre cuite, Fortier Robert
Tissage, Le, Grisé-Allard Jeanne et Galarneau Germaine
Tout sur le macramé, Harvey Virginia L.
Trucs ménagers, Godin Lucille
Vitrail, Le, Bettinger Claude

ART CULINAIRE

À table avec soeur Angèle, Soeur Angèle
Art d'apprêter les restes, L', Lapointe Suzanne
Art de la cuisine chinoise, L', Chan Stella
Art de la table, L', Du Coffre Marguerite
Barbecue, Le, Dard Patrice
Bien manger à bon compte, Gauvin Jocelyne
Boîte à lunch, La, Lambert-Lagacé Louise
Brunches & petits déjeuners en fête,
  Bergeron Yolande
100 recettes de pain faciles à réaliser, Saint-
  Pierre Angéline
Cheddar, Le, Clubb Angela
Cocktails & punchs au vin, Poister John
Cocktails de Jacques Normand, Normand
  Jacques
Coffret la cuisine
Confitures, Les, Godard Misette
Congélation de A à Z, La, Hood Joan
Congélation des aliments, Lapointe Suzanne
Conserves, Les, Sansregret Berthe
Cornichons, Ketchups et Marinades, Chesman
  Andrea
Cuisine au wok, Solomon Charmaine
Cuisine chinoise, La, Gervais Lizette
* Cuisine chinoise traditionnelle, La, Chen Jean
* Cuisine créative Campbell, La, Cie Campbell
Cuisine de Pol Martin, Martin Pol
Cuisine facile aux micro-ondes, Saint-Amour
  Pauline
Cuisine joyeuse de soeur Angèle, La, Soeur
  Angèle
Cuisine micro-ondes, La, Benoit Jehane
Cuisine santé pour les aînés, Hunter Denyse

Cuisiner avec le four à convection, Benoit
  Jehane
Cuisinez selon le régime Scarsdale, Corlin
  Judith
Cuisinier chasseur, Le, Hugueney Gérard
Entrées chaudes et froides, Dard Patrice
Faire son pain soi-même, Murray Gill Janice
Faire son vin soi-même, Beaucage André
Fondues & flambées de maman Lapointe,
  Lapointe Suzanne
Fondues, Les, Dard Patrice
Muffins, Les, Clubb Angela
Nouvelle cuisine micro-ondes, La, Marchand
  Marie-Paul et Grenier Nicole
Nouvelle cuisine micro-ondes II, La,
  Marchand Marie-Paul, Grenier Nicole
Pâtes à toutes les sauces, Les, Lapointe
  Lucette
Pâtés et galantines, Dard Patrice
Pâtisserie, La, Bellot Maurice-Marie
Poissons et fruits de mer, Sansregret Berthe
Recettes au blender, Huot Juliette
Recettes canadiennes de Laura Secord,
  Canadian Home Economics Association
Recettes de gibier, Lapointe Suzanne
Recettes de maman Lapointe, Les, Lapointe
  Suzanne
Recettes Molson, Beaulieu Marcel
Robot culinaire, Le, Martin Pol
Salades des 4 saisons et leurs vinaigrettes,
  Dard Patrice
Salades, sandwichs, hors-d'oeuvre, Martin
  Pol

BIOGRAPHIES POPULAIRES

Daniel Johnson, T.1, Godin Pierre
Daniel Johnson, T. 2, Godin Pierre
Daniel Johnson — Coffret, Godin Pierre
Dans la fosse aux lions, Chrétien Jean
Duplessis, T. 1 — L'ascension, Black Conrad
Duplessis, T. 2 — Le pouvoir, Black Conrad
Duplessis — Coffret, Black Conrad

Dynastie des Bronfman, La, Newman Peter C.
Establishment canadien, L', Newman Peter C.
Maurice Richard, Pellerin Jean
Mulroney, Macdonald L.I.
Nouveaux Riches, Les, Newman Peter C.
Prince de l'Eglise, Le, Lachance Micheline.
Saga des Molson, La, Woods Shirley

DIÉTÉTIQUE

Contrôlez votre poids, Ostiguy Dr Jean-Paul
* Cuisine sage, Lambert-Lagacé Louise
Diététique dans la vie quotidienne, Lambert-
  Lagacé Louise
Livre des vitamines, Le, Mervyn Leonard
* Maigrir en santé, Hunter Denyse
* Menu de santé, Lambert-Lagacé Louise
Oubliez vos allergies, et... bon appétit,
  Association de l'information sur les allergies
Petite & grande cuisine végétarienne, Bédard
  Manon
* Plan d'attaque Weight Watchers, Le, Nidetch
  Jean

Plan d'attaque plus Weight Watchers, Le,
  Nidetch Jean
Recettes pour aider à maigrir, Ostiguy Dr
  Jean-Paul
* Régimes pour maigrir, Beaudoin Marie-Josée
Sage Bouffe de 2 à 6 ans, La, Lambert-Lagacé
  Louise
Weight Watchers — cuisine rapide et
  savoureuse, Weight Watchers
Weight Watchers-Agenda 85 — Français,
  Weight Watchers
Weight Watchers-Agenda 85 — Anglais,
  Weight Watchers

DIVERS

* Acheter ou vendre sa maison, Brisebois Lucille
* Acheter et vendre sa maison ou son condominium, Brisebois Lucille
* Bourse, La, Brown Mark
* Chaînes stéréophoniques, Les, Poirier Gilles
* Choix de carrières, T.1, Milot Guy
* Choix de carrières, T.2, Milot Guy
* Choix de carrières, T.3, Milot Guy
* Comment rédiger son curriculum vitae, Brazeau Julie
Conseils aux inventeurs, Robic Raymond
Dictionnaire économique et financier, Lafond Eugène
* Faire son testament soi-même, Me Poirier Gérald, Lescault Nadeau Martine (notaire)
Faites fructifier votre argent, Zimmer Henri B.
* Finances, Les, Hutzler Laurie H.
* Gestionnaire, Le, Colwell Marian
* Guide de la haute-fidélité, Le, Prin Michel
* Je cherche un emploi, Brazeau Julie
Leadership, Le, Cribbin, James J.
Livre de l'étiquette, Le, Du Coffre Marguerite
Meeting, Le, Holland Gary

Mémo, Le, Reimold Cheryl
Patron, Le, Reimold Cheryl
Relations publiques, Les, Doin Richard, Lamarre Daniel
* Règles d'or de la vente, Les, Kahn George N.
* Roulez sans vous faire rouler, T.3, Edmonston Philippe
Savoir vivre aujourd'hui, Fortin Jacques Marcelle
Séjour dans les auberges du Québec, Cazelais Normand, Coulon Jacques
Stratégies de placements, Nadeau Nicole
Temps des fêtes au Québec, Le, Montpetit Raymond
Tenir maison, Gaudet-Smet Françoise
* Tout ce que vous devez savoir sur le condominium, Dubois Robert
Univers de l'astronomie, L', Tocquet Robert
Vente, La, Hopkins Tom
* Votre Argent, Dubois Robert
Votre système vidéo, Boisvert Michel. Lafrance André A.
* Week-end à New York, Tavernier-Cartier Lise

ENFANCE

* Aider son enfant en maternelle, Pedneault-Pontbriand Louise
* Aider votre enfant à lire et à écrire, Doyon-Richard Louise
Alimentation futures mamans, Gougeon Réjeanne et Sekely Trude
Années clés de mon enfant, Les, Caplan Frank et Theresa
Art de l'allaitement maternel, L', Ligue internationale La Leche
* Autorité des parents dans la famille, Rosemond John K.
Avoir des enfants après 35 ans, Robert Isabelle
Comment amuser nos enfants, Stanké Louis
Comment nourrir son enfant, Lambert-Lagacé Louise
Deuxième année de mon enfant, La, Caplan Frank et Theresa
Développement psychomoteur du bébé, Calvet Didier
Douze premiers mois de mon enfant, Les, Caplan Frank
En attendant notre enfant, Pratte-Marchessault Yvette
Encyclopédie de la santé de l'enfant, Feinbloom Richard 1.
Enfant stressé, L', Elkind David
Enfant unique, L', Peck Ellen
Évoluer avec ses enfants, Gagné Pierre Paul
Femme enceinte, La, Bradley Robert A.
Fille ou garçon, Langendoen Sally, Proctor William

* Frères-soeurs, Mcdermott Dr John F. Jr.
Futur père, Pratte-Marchessault Yvette
* Jouons avec les lettres, Doyon-Richard Louise
* Langage de votre enfant, Le, Langevin Claude
Maman et son nouveau-né, La, Sekely Trude
Manuel Johnson et Johnson des premiers soins, Le, Dr Rosenberg Stephen N.
* Massage des bébés, Le, Auckette Amélia D.
Merveilleuse histoire de la naissance, La, Gendron Dr Lionel
Mon enfant naîtra-t-il en bonne santé? Scher Jonathan, Dix Carol
Pour bébé, le sein ou le biberon? Pratte-Marchessault Yvette
Pour vous future maman, Sekely Trude
Préparez votre enfant à l'école, Doyon-Richard Louise
* Psychologie de l'enfant, Cholette-Pérusse Françoise
* Respirations et positions d'accouchement, Dussault Joanne
Soins de la première année de bébé, Kelly Paula
* Tout se joue avant la maternelle, Ibuka Masaru
Un enfant naît dans la chambre de naissance, Fortin Nolin Louise
Viens jouer, Villeneuve Michel José
Vivez sereinement votre maternité, Vellay Dr Pierre
Vivre une grossesse sans risque, Fried, Dr Peter A.

ÉSOTÉRISME

Coffret — Passé — Présent — Avenir
Graphologie, La, Santoy Claude
Hypnotisme, L', Manolesco Jean
Lire dans les lignes de la main, Morin Michel

Prévisions astrologiques 1985, Hirsig Huguette
Vos rêves sont des miroirs, Cayla Henri
* Votre avenir par les cartes, Stanké Louis

HISTOIRE

Arrivants, Les, Collectif
* Civilisation chinoise, La, Guay Michel

INFORMATIQUE

* Découvrir son ordinateur personnel, Faguy
Francois

Guide d'achat des micro-ordinateurs. Le
Blanc Pierre
Informatique, L', Cone E.Paul

JARDINAGE

Culture des fleurs, des fruits, Prentice-Hall of
Canada
Encyclopédie du jardinier, Perron W.H.
Guide complet du jardinage, Wilson Charles

Petite ferme, T. 2 — Jardin potager, Trait
Jean-Claude
Plantes d'intérieur, Les, Pouliot Paul
Techniques du jardinage, Les, Pouliot Paul
* Terrariums, Les, Kayatta Ken

JEUX/DIVERTISSEMENTS

Améliorons notre bridge, Durand Charles
* Bridge, Le, Beaulieu Viviane
Clés du scrabble, Les, Sigal Pierre A.
Collectionner les timbres, Taschereau Yves
* Dictionnaire des mots croisés, noms
communs, Lasnier Paul
* Dictionnaire des mots croisés, noms
propres, Piquette Robert

* Dictionnaire raisonné des mots croisés,
Charron Jacqueline
Finales aux échecs, Les, Santoy Claude
Jeux de société, Stanké Louis
* Jouons ensemble, Provost Pierre
* Ouverture aux échecs, Coudari Camille
Scrabble, Le, Gallez Daniel
Techniques du billard, Morin Pierre

LINGUISTIQUE

Améliorez votre français, Laurin Jacques
* Anglais par la méthode choc, L', Morgan
Jean-Louis
Corrigeons nos anglicismes, Laurin Jacques

* J'apprends l'anglais, Silicani Gino
Petit dictionnaire du joual, Turenne Auguste
Secrétaire bilingue, La, Lebel Wilfrid
Verbes, Les, Laurin Jacques

LIVRES PRATIQUES

Bonnes idées de maman Lapointe, Les,
Lapointe Lucette
Chasse-taches, Le, Cassimatis Jack

* Maîtriser son doigté sur un clavier, Lemire
Jean-Paul
Temps c'est de l'argent, Le, Davenport Rita

MUSIQUE ET CINÉMA

* Guitare, La, Collins Peter

Wolfgang Amadeus Mozart raconté en
50 chefs-d'oeuvre, Roussel Paul

NOTRE TRADITION

Coffret notre tradition
Écoles de rang au Québec, Les Dorion Jacques
Encyclopédie du Québec, T. 1, Landry Louis
Encyclopédie du Québec, T. 2, Landry Louis
Histoire de la chanson québécoise, L'Herbier Benoît

Maison traditionnelle, La, Lessard Micheline
Moulins à eau de la vallée du Saint-Laurent, Adam Villeneuve
Objets familiers de nos ancêtres, Genet Nicole
Vive la compagnie, Daigneault Pierre

PHOTOGRAPHIE (ÉQUIPEMENT ET TECHNIQUE)

* **Apprenez la photographie avec Antoine Desilets,** Desilets Antoine
Chasse photographique, Coiteux Louis
8/Super 8/16, Lafrance André
Initiation à la Photographie, London Barbara
Initiation à la Photographie-Canon, London Barbara
Initiation à la Photographie-Minolta, London Barbara
Initiation à la Photographie-Nikon, London Barbara

Initiation à la Photographie-Olympus, London Barbara
Initiation à la Photographie-Pentax, London Barbara
* **Je développe mes photos,** Desilets Antoine
* **Je prends des photos,** Desilets Antoine
* **Photo à la portée de tous,** Desilets Antoine
Photo guide, Desilets Antoine

PSYCHOLOGIE

Âge démasqué, L', De Ravinel Hubert
* **Aider mon patron à m'aider,** Houde Eugène
* **Amour de l'exigence à la préférence,** Auger Lucien
Au-delà de l'intelligence humaine, Pouliot Élise
Auto-développement, L', Garneau Jean
Bonheur au travail, Le, Houde Eugène
Bonheur possible, Le, Blondin Robert
Chimie de l'amour, La, Liebowitz Michael
Coeur à l'ouvrage, Le, Lefebvre Gérald
Coffret psychologie moderne
Colère, La, Tavris Carol
* **Comment animer un groupe,** Office Catéchèse
* **Comment avoir des enfants heureux,** Azerrad Jacob
* **Comment déborder d'énergie,** Simard Jean-Paul
Comment vaincre la gêne, Catta Rene-Salvator
* **Communication dans le couple, La,** Granger Luc
* **Communication et épanouissement personnel,** Auger Lucien
Comprendre la névrose et aider les névro—sés, Ellis Albert
* **Contact,** Zunin Nathalie
* **Courage de vivre, Le,** Kiev Docteur A.
Courage et discipline au travail, Houde Eugène
Dynamique des groupes, Aubry J.-M. et Saint-Arnaud Y.
Élever des enfants sans perdre la boule, Auger Lucien
* **Émotivité et efficacité au travail,** Houde Eugène
Enfant paraît... et le couple demeure, L', Dorman Marsha et Klein Diane
Enfants de l'autre, Les, Paris Erna
* **Être soi-même,** Corkille Briggs, D.
* **Facteur chance, Le,** Gunther Max

* **Fantasmes créateurs, Les,** Singer Jérôme
Infidélité, L', Leigh Wendy
Intuition, L', Goldberg Philip
* **J'aime,** Saint-Arnaud Yves
Journal intime intensif, Progoff Ira
Miracle de l'amour, Un, Barry Neil
* **Mise en forme psychologique,** Corrière Richard
* **Parle-moi... J'ai des choses à te dire,** Salome Jacques
Penser heureux, Auger Lucien
* **Personne humaine, La,** Saint-Arnaud Yves
* **Première impression, La,** Kleinke Chris. L.
Prévenir et surmonter la déprime, Auger Lucien
* **Prévoir les belles années de la retraite,** D. Gordon Michael
* **Psychologie dans la vie quotidienne,** Blank Dr Léonard
* **Psychologie de l'amour romantique,** Braden Docteur N.
* **Qui es-tu grand-mère? Et toi grand-père?,** Eylat Odette
* **S'affirmer et communiquer,** Beaudry Madeleine
* **S'aider soi-même,** Auger Lucien
* **S'aider soi-même davantage,** Auger Lucien
* **S'aimer pour la vie,** Wanderer Dr Zev
* **Savoir organiser, savoir décider,** Lefebvre Gérald
* **Savoir relaxer et combattre le stress,** Jacobson Dr Edmund
* **Se changer,** Mahoney Michael
* **Se comprendre soi-même par des tests,** Collectif
* **Se concentrer pour être heureux,** Simard Jean-Paul
Se connaître soi-même, Artaud Gérard
* **Se contrôler par le biofeedback,** Ligonde Paultre
* **Se créer par la Gestalt,** Zinker Joseph
* **S'entraider,** Limoges Jacques

* Se guérir de la sottise, Auger Lucien
Séparation du couple, La, Weiss Robert S.
Sexualité au bureau, La, Horn Patrice
Syndrome prémenstruel, Le, Dr Shreeve Caroline
* Vaincre ses peurs, Auger Lucien

Vivre à deux: plaisir ou cauchemar, Duval Jean-Marie
* Vivre avec sa tête ou avec son coeur, Auger Lucien
Vivre c'est vendre, Chaput Jean-Marc
* Vivre jeune, Waldo Myra
* Vouloir c'est pouvoir, Hull Raymond

ROMANS/ESSAIS

Adieu Québec, Bruneau André
Baie d'Hudson, La, Newman Peter C.
Bien-pensants, Les, Berton Pierre
Bousille et les justes, Gélinas Gratien
Coffret Joey
C.P., Susan Goldenberg
Commettants de Caridad, Les, Thériault Yves
Deux Innocents en Chine Rouge, Hébert Jacques
Dome, Jim Lyon
Emprise, L', Brulotte Gaétan
IBM, Sobel Robert
Insolences du Frère Untel, Les, Untel Frère
ITT, Sobel Robert

J'parle tout seul, Coderre Emile
Lamia, Thyraud de Vosjoli P.L.
Mensonge amoureux, Le, Blondin Robert
Nadia, Aubin Benoît
Oui, Lévesque René
Premiers sur la Lune, Armstrong Neil
* Sur les ailes du temps (Air Canada), Smith Philip
Telle est ma position, Mulroney Brian
Terrorisme québécois, Le, Morf Gustave
* Trois semaines dans le hall du Sénat, Hébert Jacques
Un doux équilibre, King Annabelle
Vrai visage de Duplessis, Le, Laporte Pierre

SANTÉ ET ESTHÉTIQUE

Allergies, Les, Delorme Dr Pierre
Art de se maquiller, L', Moizé Alain
* Bien vivre sa ménopause, Gendron Dr Lionel
Cellulite, La, Ostiguy Dr Jean-Paul
Cellulite, La, Léonard Dr Gérard J.
Exercices pour les aînés, Godfrey Dr Charles, Feldman Michael
Face lifting par l'exercice, Le, Runge Senta Maria
Grandir en 100 exercices, Berthelet Pierre
Hystérectomie, L', Alix Suzanne
Médecine esthétique, La, Lanctot Guylaine
Obésité et cellulite, enfin la solution, Léonard Dr Gérard J.
Santé, un capital à préserver, Peeters E.G.
Travailler devant un écran, Feeley, Dr Helen
Coffret 30 jours
30 jours pour avoir de beaux cheveux, Davis Julie

30 jours pour avoir de beaux ongles, Bozic Patricia
30 jours pour avoir de beaux seins, Larkin Régina
30 jours pour avoir un beau teint Zizmor Dr Jonathan
30 jours pour cesser de fumer, Holland Gary, Weiss Herman
30 jours pour mieux organiser, Holland Gary
30 jours pour perdre son ventre (homme), Matthews Roy, Burnstein Nancy
30 jours pour redevenir un couple amoureux, Nida Patricia K., Cooney Kevin
30 jours pour un plus grand épanouissement sexuel, Schneider Alan, Laiken Deidre
* Vos yeux, Chartrand Marie et Lepage-Durand Micheline

SEXOLOGIE

Adolescente veut savoir, L', Gendron Lionel
Fais voir, Fleischhaner H.
Guide illustré du plaisir sexuel, Corey Dr Robert E.
Helga, Bender Erich F.
* Ma sexualité de 0 à 6 ans, Robert Jocelyne
* Ma sexualité de 6 à 9 ans, Robert Jocelyne
* Ma sexualité de 9 à 12 ans, Robert Jocelyne

Plaisir partagé, Le, Gary-Bishop Hélène
* Première expérience sexuelle, La, Gendron Lionel
* Sexe au féminin, Le, Kerr Carmen
* Sexualité du jeune adolescent, Gendron Lionel
* Sexualité dynamique, La, Lefort Dr Paul
* Shiatsu et sensualité, Rioux Yuki

100 trucs de billard, Morin Pierre
Le programme pour être en forme
Apprenez à patiner, Marcotte Gaston
Arc et la Chasse, L', Guardon Greg
* Armes de chasse, Les, Petit Martinon Charles
* Badminton, Le, Corbeil Jean
* Carte et boussole, Kjellstrom Bjorn
* Chasse au petit gibier, La, Paquet Yvon-Louis
Chasse et gibier du Québec, Bergeron Raymond
Chasseurs sachez chasser, Lapierre Lucie
* Comment se sortir du trou au golf, Brien Luc
* Comment vivre dans la nature, Rivière Bill
* Corrigez vos défauts au golf, Bergeron Yves
Curling, Le, Lukowich Ed.
Devenir gardien de but au hockey, Allaire François
Encyclopédie de la chasse au Québec, Leiffet Bernard
Entraînement, poids-haltères, L', Ryan Frank
Exercices à deux, Gregor Carol
Golf au féminin, Le, Bergeron Yves
Grand livre des sports, Le, Le groupe Diagram
Guide complet du judo, Arpin Louis
* Guide complet du self-defense, Arpin Louis
Guide d'achat de l'équipement de tennis, Chevalier Richard, Gilbert Yvon
Guide de l'alpinisme, Le, Cappon Massimo
Guide de survie de l'armée américaine
Guide des jeux scouts, Association des scouts
Guide du judo au sol, Arpin Louis
Guide du self-defense, Arpin Louis
Guide du trappeur, Le, Provencher Paul
Hatha yoga, Piuze Suzanne
* J'apprends à nager, Lacoursière Réjean
* Jogging, Le, Chevalier Richard
Jouez gagnant au golf, Brien Luc
Larry Robinson, le jeu défensif, Robinson Larry
Lutte olympique, La, Sauvé Marcel
* Manuel de pilotage, Transports Canada
* Marathon pour tous, Anctil Pierre

* Médecine sportive, Mirkin Dr Gabe
Mon coup de patin, Wild John
Musculation pour tous, Laferrière Serge
Natation de compétition, La, Lacoursière Réjean
Partons en camping, Satterfield Archie, Bauer Eddie
Partons sac au dos, Satterfield Archie, Bauer Eddie
Passes au hockey, Champleau Claude
Pêche à la mouche, La, Marleau Serge
Pêche à la mouche, Vincent Serge-J.
Pêche au Québec, La, Chamberland Michel
* Planche à voile, La, Maillefer Gérald
* Programme XBX, Aviation Royale du Canada
Provencher, le dernier coureur des bois, Provencher Paul
Racquetball, Corbeil Jean
Racquetball plus, Corbeil Jean
Raquette, La, Osgoode William
* Rivières et lacs canotables, Fédération québécoise du canot-camping
* S'améliorer au tennis, Chevalier Richard
Secrets du baseball, Les, Raymond Claude
Ski de fond, Le, Roy Benoît
* Ski de randonnée, Le, Corbeil Jean
Soccer, Le, Schwartz Georges
Stratégie au hockey, Meagher John W.
Surhommes du sport, Les, Desjardins Maurice
* Taxidermie, La, Labrie Jean
Techniques du billard, Morin Pierre
* Technique du golf, Brien Luc
Techniques du hockey en URSS, Dyotte Guy
* Techniques du tennis, Ellwanger
* Tennis, Le, Roch Denis
Tous les secrets de la chasse, Chamberland Michel
Vivre en forêt, Provencher Paul
Voie du guerrier, La, Di Villadorata
Volley-ball, Le, Fédération de volley-ball
Yoga des sphères, Le, Leclerq Bruno

le jour, éditeur

Guide du chat et de son maître, Laliberté Robert
Guide du chien et de son maître, Laliberté Robert

Poissons de nos eaux, Melançon Claude

ART CULINAIRE ET DIÉTÉTIQUE

Armoire aux herbes, L', Mary Jean
Breuvages pour diabétiques, Binet Suzanne
Cuisine du jour, La, Pauly Robert
Cuisine sans cholestérol, Boudreau-Pagé
Desserts pour diabétiques, Binet Suzanne
Jus de santé, Les, Brunet Jean-Marc
Mangez ce qui vous chante, Pearson Dr Leo

Mangez, réfléchissez et devenez svelte, Kothkin Leonid
Nutrition de l'athlète, Brunet Jean-Marc
Recettes Soeur Berthe — été, Sansregret soeur Berthe
Recettes Soeur Berthe — printemps, Sansregret soeur Berthe

ARTISANAT/ARTS MÉNAGERS

Diagrammes de courtepointes, Faucher Lucille
Douze cents nouveaux trucs, Grisé-Allard Jeanne

Encore des trucs, Grisé-Allard Jeanne
Mille trucs madame, Grisé-Allard Jeanne
Toujours des trucs, Grisé-Allard Jeanne

DIVERS

Administrateur de la prise de décision, Filiatreault P., Perreault, Y. G.
Administration, développement, Laflamme Marcel
Assemblées délibérantes, Béland Claude
Assoiffés du crédit, Les, Féd. des A.C.E.F.
Baie James, La, Bourassa Robert
Bien s'assurer, Boudreault Carole
Cent ans d'injustice, Hertel François
Ces mains qui vous racontent, Boucher André-Pierre
550 métiers et professions, Charneux Helmy
Coopératives d'habitation, Les, Leduc Murielle
Dangers de l'énergie nucléaire, Les, Brunet Jean-Marc
Dis papa c'est encore loin, Corpatnauy Francis
Dossier pollution, Chaput Marcel
Énergie aujourd'hui et demain, De Martigny François
Entreprise et le marketing, L', Brousseau
Forts de l'Outaouais, Les, Dunn Guillaume

Grève de l'amiante, La, Trudeau Pierre
Hiérarchie ethnique dans la grande entreprise, Rainville Jean
Impossible Québec, Brillant Jacques
Initiation au coopératisme, Béland Claude
Julius Caesar, Roux Jean-Louis
Lapokalipso, Duguay Raoul
Lune de trop, Une, Gagnon Alphonse
Manifeste de l'infonie, Duguay Raoul
Mouvement coopératif québécois, Deschêne Gaston
Obscénité et liberté, Hébert Jacques
Philosophie du pouvoir, Blais Martin
Pourquoi le bill 60, Gérin-Lajoie P.
Stratégie et organisation, Desforges Jean, Vianney C.
Trois jours en prison, Hébert Jacques
Vers un monde coopératif, Davidovic Georges
Vivre sur la terre, St-Pierre Hélène
Voyage à Terre-Neuve, De Gébineau comte

ENFANCE

Aidez votre enfant à choisir, Simon Dr Sydney B.
Deux caresses par jour, Minden Harold
Être mère, Bombeck Erma
Parents efficaces, Gordon Thomas

Parents gagnants, Nicholson Luree
Psychologie de l'adolescent, Pérusse-Cholette Françoise
1500 prénoms et significations, Grisé Allard J.

ÉSOTÉRISME

* **Astrologie et la sexualité, L'**, Justason Barbara
Astrologie et vous, L', Boucher André-Pierre
* **Astrologie pratique, L'**, Reinicke Wolfgang
Faire sa carte du ciel, Filbey John
Grand livre de la cartomancie, Le, Von Lentner G.
* **Grand livre des horoscopes chinois, Le**, Lau Theodora

Graphologie, La, Cobbert Anne
* **Horoscope et énergie psychique**, Hamaker-Zondag
Horoscope chinois, Del Sol Paula
Lu dans les cartes, Jones Marthy
* **Pendule et baguette**, Kirchner Georg
* **Pratique du tarot, La**, Thierens E.
Preuves de l'astrologie, Comiré André

HISTOIRE

JEUX/DIVERTISSEMENTS

LINGUISTIQUE

NOTRE TRADITION

OUVRAGES DE RÉFÉRENCE

PSYCHOLOGIE

ROMANS/ESSAIS

SANTÉ

Alcool et la nutrition, L', Brunet Jean-Marc
Bruit et la santé, Le, Brunet Jean-Marc
Chaleur peut vous guérir, La, Brunet Jean-Marc
Échec au vieillissement prématuré, Blais J.
Greffe des cheveux vivants, Guy Dr
Guérir votre foie, Jean-Marc Brunet
Information santé, Brunet Jean-Marc
Magie en médecine, Sylva Raymond
Maigrir naturellement, Lauzon Jean-Luc

Mort lente par le sucre, Duruisseau Jean-Paul
40 ans, âge d'or, Taylor Eric
Recettes naturistes pour arthritiques et rhumatisants, Cuillerier Luc
Santé de l'arthritique et du rhumatisants, Labelle Yvan
* **Tao de longue dvie, Le**, Soo Chee
Vaincre l'insomnie, Filion Michel, Boisvert Jean-Marie, Melanson Danielle
Vos aliments sont empoisonnés, Leduc Paul

SEXOLOGIE

* **Aimer les hommes pour toutes sortes de bonnes raisons**, Nir Dr Yehuda
* **Apprentissage sexuel au féminin, L'**, Kassoria Irene
* **Comment faire l'amour à un homme**, Penney Alexandra
* **Comment faire l'amour ensemble**, Penney Alexandra
* **Comment séduire les filles**, Weber Éric
Dépression nerveuse et le corps, La, Lowen Dr Alexander
Drogues, Les, Boutot Bruno
* **Femme célibataire et la sexualité, La**, Robert M.

* **Jeux de nuit**, Bruchez Chantal
Magie du sexe, La, Penney Alexandra
* **Massage en profondeur, Le**, Bélair Michel
Massage pour tous, Le, Morand Gilles
Première fois, La, L'Heureux Christine
Rapport sur l'amour et la sexualité, Brecher Edward
Sexualité expliquée aux adolescents, La, Boudreau Yves
Sexualité expliquée aux enfants, La, Cholette Pérusse F.

SPORTS

Baseball-Montréal, Leblanc Bertrand
Chasse au Québec, Deyglun Serge
Chasse et gibier du Québec, Guardon Greg
Exercice physique pour tous, Bohemier Guy
Grande forme, Baer Brigitte
Guide des pistes cyclables, Guy Côté
Guide des rivières du Québec, Fédération canot-kayac
Lecture des cartes, Godin Serge
Offensive rouge, L', Boulonne Gérard

Pêche et coopération au Québec, Larocque Paul
Pêche sportive au Québec, Deyglun Serge
Raquette, La, Lortie Gérard
Santé par le yoga, Piuze Suzanne
Saumon, Le, Dubé Jean-Paul
Ski nordique de randonnée, Brady Michael
Technique canadienne de ski, O'Connor Lorne
Truite et la pêche à la mouche, La, Ruel Jeannot
Voile, un jeu d'enfants, La, Brunet Mario

Quinze

Lalonde Robert,
    La belle épouvante
Lamarche Claude,
    Confessions d'un enfant d'un demi-siècle
    Je me veux
Lapierre René,
    Hubert Aquin
Larche Marcel,
    So Uk
Larose Jean,
    Le mythe de Nelligan
Latour Chrystine,
    La dernière chaîne
    Le mauvais frère
    Le triangle brisé
    Tout le portrait de sa mère
Lavigne Nicole,
    Le grand rêve de madame Wagner
Lavoie Gaëtan,
    Le mensonge de Maillard
Leblanc Louise,
    Pop Corn
    37 1/2AA
Marchessault Jovette,
    La mère des herbes
Marcotte Gilles,
    La littérature et le reste
Marteau Robert,
    Entre temps
Martel Émile,
    Les gants jetés
Monette Madeleine,
    Le double suspect
    Petites violences
Monfils Nadine,
    Laura Colombe, contes
    La velue
Ouellette Fernand,
    La mort vive
    Tu regardais intensément Geneviève
Paquin Carole,
    Une esclave bien payée

Paré Paul,
    L'improbable autopsie
Pavel Thomas,
    Le miroir persan
Poupart Jean-Marie,
    Bourru mouillé
Robert Suzanne,
    Les trois soeurs de personne
    Vulpera
Robertson Heat,
    Beauté tragique
Ross Rolande,
    Le long des paupières brunes
Roy Gabrielle,
    Fragiles lumières de la terre
Saint-Georges Gérard,
    1, place du Québec Parix VIe
Sansfaçon Jean-Robert,
    Loft Story
Saurel Pierre,
    IXE-13
Savoie Roger,
    Le philosophe chat
Svirsky Grigori,
    Tragédie polaire, nouvelles
Szucsany Désirée,
    La passe
Thériault Yves,
    Aaron
    Agaguk
    Le dompteur d'ours
    La fille laide
    Les vendeurs du temple
Turgeon Pierre,
    Faire sa mort comme faire l'amour
    La première personne
    Prochainement sur cet écran
    Un, deux, trois
Trudel Sylvain,
    Le souffle de l'Harmattan
Vigneault Réjean,
    Baby-boomers

COLLECTIFS DE NOUVELLES

Fuites et poursuites
Dix contes et nouvelles fantastiques
Dix nouvelles humoristiques

Dix nouvelles de science-fiction québécoise
Aimer
Crever l'écran

LIVRES DE POCHE 10/10

Aquin Hubert,
   Blocs erratiques
Brouillet Chrystine,
   Chère voisine
Dubé Marcel,
   Un simple soldat
Gélinas Gratien,
   Bousille et les justes
   Ti-Coq
Harvey Jean-Charles,
   Les demi-civilisés
Laberge Albert,
   La scouine

Thériault Yves,
   Aaron
   Agaguk
   Cul-de-sac
   La fille laide
   Le dernier havre
   Le temps du carcajou
   Tayaout
Turgeon Pierre,
   Faire sa mort comme faire l'amour
   La première personne

NOTRE TRADITION

Aucoin Gérard,
   L'oiseau de la vérité
Bergeron Bertrand,
   Les barbes-bleues
Deschênes Donald,
   C'était la plus jolie des filles
Desjardins Philémon et Gilles Lamontagne,
   Le corbeau du mont de la Jeunesse
Dupont Jean-Claude,
   Contes de bûcherons

Gauthier Chassé Hélène,
   À diable-vent
Laforte Conrad,
   Menteries drôles et merveilleuses
Légaré Clément,
   La bête à sept têtes
   Pierre La Fève

DIVERS

A.S.D.E.Q.,
   Québec et ses partenaires
   Qui décide au Québec?
Bailey Arthur,
   Pour une économie du bon sens
Bergeron Gérard,
   Indépendance oui mais
Bowering George,
   En eaux troubles
Boissonnault Pierre,
   L'hybride abattu
Collectif Clio,
   L'histoire des femmes au Québec
Clavel Maurice,
   Dieu est Dieu nom de Dieu
Centre des dirigeants d'entreprise,
   Relations du travail
Creighton Donald,
   Canada — Les débuts héroiques
De Lamirande Claire,
   Papineau

Dupont Pierre,
   15 novembre 76
Dupont Pierre et Gisèle Tremblay,
   Les syndicats en crise
Fontaine Mario
   Tout sur les p'tits journaux z'artistiques
Gagnon G., A. Sicotte et G. Bourrassa,
   Tant que le monde s'ouvrira
Gamma groupe,
   La société de conservation
Garfinkel Bernie,
   Liv Ullmann Ingmar Bergman
Genuist Paul,
   La faillite du Canada anglais
Haley Louise,
   Le ciel de mon pays, T.1
   Le ciel de mon pays, T.2
Harbron John D.,
   Le Québec sans le Canada
Hébert Jacques et Maurice F. Strong,
   Le grand branle-bas

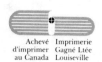

Achevé   Imprimerie
d'imprimer Gagné Ltée
au Canada Louiseville